JE RÊVAIS D'UN AUTRE MONDE

Anthropologue du fait religieux, Dounia Bouzar a créé le Centre de prévention des dérives sectaires liées à l'Islam (CPDSI).
Serge Hefez est psychiatre, psychanalyste, spécialiste des adolescents, thérapeute familial.

DOUNIA BOUZAR et SERGE HEFEZ

Je rêvais
d'un autre monde

L'adolescence sous l'emprise de Daesh

STOCK

Introduction

Ce livre est le fruit d'une collaboration entre deux équipes qui ont coordonné leurs efforts au cours de ces deux dernières années pour combattre la fascination délétère exercée par la radicalisation islamiste auprès des jeunes de plus en plus nombreux à succomber aux sirènes de Daesh : celle du Centre de prévention des dérives sectaires liées à l'Islam, le CPDSI créé par Dounia Bouzar début 2014, et l'unité de thérapie familiale du service de psychiatrie de l'enfant et de l'adolescent de l'hôpital de la Pitié-Salpêtrière à Paris, dirigée par Serge Hefez.

Il est aussi le reflet d'une amitié et d'une estime réciproque entre une anthropologue du fait religieux, passionnée de longue date par la place de l'Islam dans le développement identitaire des jeunes Français, et un psychanalyste, psychiatre des hôpitaux, occupé depuis toujours à l'indispensable prise en charge de l'ensemble du groupe familial des jeunes en souffrance. En 2012, nous avions déjà signé un article commun, mêlant nos expertises différentes : « Entre traditions maghrébines et religion musulmane, quels processus de libération des femmes dans le contexte français ?[1] »

_____

1. In Bramly S., Carminati A. (dir.), *Pouvoir(e)s, les nouveaux équilibres femmes-hommes*, Eyrolles, 2012.

Début 2014, des dizaines de familles s'étaient adressées à Dounia Bouzar pour demander de l'aide. En effet, les recruteurs djihadistes s'attaquaient aux mineurs depuis qu'ils avaient repéré que le gouvernement français avait suspendu l'obligation de l'autorisation parentale[1] pour leur déplacement à l'étranger. Le CPDSI a permis aux parents d'échanger et de se soutenir. L'un des premiers était gendarme. Il a enregistré les communications de sa fille avec le groupe radical. Puis a aidé d'autres familles à s'équiper. Les résultats de ces échanges ont été remis à Dounia Bouzar, qui s'est entourée d'autres experts pour étudier ces « fils invisibles » de la radicalisation[2]. Que promettait-on à ces garçons et ces filles si différents pour qu'ils décident d'aller mourir en Syrie ? Car à l'époque, personne ne parlait d'attentats sur le sol français.

Au cours de l'année 2014, plus de trois cents familles ont saisi le CPDSI, qui fonctionnait alors de manière bénévole. Les trajectoires de vie des jeunes embrigadés de manière fulgurante prouvaient que le discours djihadiste s'était affiné à tel point qu'il n'atteignait pas uniquement les plus fragiles au niveau social et familial. Certains avaient des parents avocats, professeurs, éducateurs…

---

1. La fin de l'obligation des autorisations parentales pour voyager date du 1er janvier 2013.

2. Premier rapport libre d'accès sur le site : Dounia Bouzar, Christophe Caupenne et Sulayman Valsan, *La Métamorphose opérée chez le jeune par les nouveaux discours terroristes*, nov. 2014 (http://www. cpdsi. fr/publications/la-metamorphose-operee-chez-le-jeune-par-les-nouveaux-discours-terroristes/).

Le Centre interministériel de prévention de la délinquance et de la radicalité[1], mandaté par le ministère de l'Intérieur pour coordonner le plan de prévention, a contacté le CPDSI pour qu'il postule à un appel d'offres auquel personne ne se présentait. Il s'agissait de former toutes les équipes anti-radicalité des préfectures et de prendre en charge les jeunes et leurs familles en attendant que ces équipes territoriales deviennent efficaces. Dounia Bouzar a quitté son entreprise familiale[2] avec une de ses filles pour se dédier à cette mission publique. Sept personnes seulement ont pu être embauchées. Le CIPDR a alors demandé à Dounia Bouzar de choisir un psychiatre chevronné pour accompagner l'équipe dans cette expérimentation. C'est ainsi que le partenariat avec Serge Hefez a commencé.

La présence d'un psychiatre était doublement nécessaire. D'une part, Dounia Bouzar avait choisi de professionnaliser des familles impactées par le djihadisme. La plupart des salariés n'étaient pas des professionnels mais des victimes collatérales de cette idéologie, prêtes à lutter contre la terreur, envers et contre tout. D'autre part, l'équipe mobile du CPDSI a eu rapidement besoin d'un psychiatre pour prendre le relais dans la prise en charge des jeunes. Une fois que ces derniers avaient fait le deuil de l'utopie djihadiste, un travail psychothérapeutique devait s'engager pour les aider à comprendre pourquoi ce discours radical avait fait autorité sur eux.

---

1. CIPDR.
2. Bouzar Expertises, Cultes et Cultures, créée en 2008, spécialisée en laïcité, gestion du fait religieux, discriminations.

Pendant toute l'année 2015, pour cette mission ministérielle, cet assemblage professionnel complémentaire multi-composite, allant de l'anthropologue au psychiatre, en relation avec des éducateurs, des policiers, des avocats, des spécialistes des mouvements sectaires, des théologiens, a donc construit une méthodologie de détection[1], de diagnostic du radicalisme pour les professionnels confrontés à ce phénomène sur le terrain, ainsi qu'une méthode de sortie du radicalisme, qui a fait ses preuves et permis de sauver des centaines de jeunes, et donc d'éviter des centaines d'attentats[2].

En 2016, la Préfecture de Paris mandatait officiellement Serge Hefez et le service de la Pitié-Salpêtrière en vue de leur envoyer les familles en détresse ayant contacté le numéro vert ou directement les services de police. Des familles très différentes ont été reçues,

---

1. Les indicateurs d'alerte construits par le CPDSI ont été repris par le site Stop-djihadisme de manière plus ou moins déformée par la suite, au risque d'être contre-productifs. Par exemple, nos travaux ont montré que les jeunes recevaient toutes les semaines une liste de composants alimentaires – E320, 321, etc. – qui contiendraient de la gélatine de porc, et qui seraient introduits volontairement dans toutes sortes d'ingrédients par des sociétés secrètes complotistes, comme la mayonnaise, les pains au chocolat, les pizzas, etc. Ce procédé permet aux recruteurs de couper le jeune de tout repas avec des personnes extérieures au groupe radical. Le site Stop-djihadisme a résumé cela en « changement alimentaire », avec l'onglet d'une baguette de pain, comme si le fait de refuser de manger une baguette de pain française, du porc ou de la viande non halal serait un signe de radicalisation…

2. Si nous avons refusé de répondre aux demandes incessantes des journalistes qui voulaient connaître l'identité de chaque famille ayant apporté son témoignage, nous avons rendu des comptes exacts mensuels qualitatifs et quantitatifs au comité de pilotage interministériel qui nous contrôlait.

mais nous avons rapidement eu le sentiment que, pour la plupart, des mécanismes d'emprise réciproque étaient à l'œuvre, et que le jeune cherchait de manière tout à fait inconsciente à se soumettre paradoxalement à un groupe encore plus contraignant pour s'extraire de cette emprise familiale.

Cette mission partagée pendant une longue année[1] nous a permis d'avoir accès à la face invisible de la radicalisation. Experte en matière d'idéologie islamiste, spécialiste de la « folie adolescente », nous avons conjugué nos savoir-faire. Dans cet ouvrage, chacun développe ses idées à tour de rôle, avec l'assurance que le lecteur sera sensible aux résonances qui joignent et disjoignent nos décryptages et nos expertises. Contrairement aux autres chercheurs et journalistes qui interrogent les djihadistes par Internet une fois que leur vision du monde a radicalement changé, nous avons pu analyser les petits pas effectués par les jeunes avant d'atteindre la double déshumanisation : la leur et celle de leurs futures victimes. À partir de témoignages recueillis dans la rencontre des parents que nous avons aidés ou issus des groupes de parole de « désembrigadés »[2], nous avons eu accès à la face

---

1. Lorsque le CPDSI a annoncé par recommandé et communiqué de presse son refus de renouvellement, le ministère de l'Intérieur lui a demandé de continuer jusqu'à la fin de l'été, le temps de trouver des remplaçants.

2. Tous les prénoms ont été changés de manière à préserver l'anonymat de ces jeunes, sauf celui du majeur Farid Benyettou, qui a réalisé sa rétroanalyse avec Dounia Bouzar dans l'ouvrage *Mon djihad. Itinéraire d'un repenti* (Autrement, 2017). L'embauche récente de ce repenti constitue une source de désaccord avec les autorités. Dounia Bouzar défend le postulat que seuls les repentis peuvent aider à la déradicalisation.

cachée de l'iceberg. C'était donc notre devoir de partager ces « secrets d'alcôve » de la radicalisation avec le plus grand nombre, car comprendre le processus est le préalable à toute forme de lutte. Il faut connaître son ennemi pour le combattre efficacement.

PREMIÈRE PARTIE

Dounia Bouzar

« Je rêve de quitter cette terre, de dompter la misère, de prendre la mer pour la conquête d'une nouvelle ère. Je partirai retrouver les miens loin des vôtres et de vos critères à deux balles. »

Extrait d'un poème de Meili, 15 ans,
qui a tenté de partir trois fois en Syrie.

Daesh n'est pas une secte, même si les recruteurs francophones recourent parfois à certains procédés de groupes sectaires. C'est un mouvement totalitaire qui a un projet de purification interne (envers les autres musulmans) et d'extermination externe (envers tous les non-musulmans, croyants ou pas). Il tue les gens non pas pour ce qu'ils font mais pour ce qu'ils sont. « Un régime politique peut produire un monde plus ou moins juste, garantir plus ou moins de liberté au peuple, mais le totalitarisme ne se préoccupe plus d'édifier un monde, il ne vise qu'à la réalisation d'une idée. L'État est au service du mouvement », affirmait Hannah Arendt. C'est exactement ce qu'il se passe en Syrie et en Irak : Al-Baghdadi s'est autoproclamé calife pour établir l'État islamique, mais cet « État » ne vise qu'à la réalisation d'un projet de conquête du monde pour y imposer sa conception de la charia.

Daesh ne badine pas avec la propagande et le recrutement. À la différence du temps d'Al-Qaïda, l'État islamique possède déjà un territoire. Il s'adresse donc à un public élargi : hommes, mais aussi femmes et enfants. Les adolescents sont particulièrement visés. Le psychanalyste Fethi Benslama rappelle que « deux tiers des personnes signalées comme radicalisées ont entre 15 et 25 ans, et dans certains cas moins de 15 ans. Il s'agit de la tranche d'âge de l'adolescence telle qu'elle est devenue à l'époque contemporaine : elle commence de plus en plus tôt et se prolonge de plus en plus tard dans la vingtaine[1] ». Des centaines de jeunes ont même tenté de partir dès l'âge de 12 ans et ont été arrêtés aux frontières avant qu'il ne soit trop tard. Pour attirer ces derniers, les recruteurs commencent par les rassurer : ils ne manqueront de rien. C'est bien la première fois qu'un groupe terroriste filme des barres chocolatées pour ses vidéos...

Peu de chercheurs encore ont accès aux jeunes qui ont tenté de partir. La plupart analysent « le djihadisme » à travers les déclarations sur les réseaux sociaux de ceux qui se trouvent déjà en Syrie. Leur radicalisation est alors à son comble et leur système cognitif et idéologique a changé. Leur façon de parler, de penser, de voir le monde est formatée à coups de hadiths et de versets coraniques ôtés de leur contexte, utilisés pour justifier le suicide et le meurtre. Les djihadistes se montrent volontaires et engagés. Il est alors évident pour les observateurs que cette radicalisation est uniquement le « fruit de l'islam ». Et donc, la réforme de l'islam leur paraît être la seule solution. Bien évidemment, c'est par l'islam que le jeune est radicalisé... Mais lorsque l'on a accès à l'ensemble des conversations des jeunes avec leur groupe radical,

---

1. Interview de Fethi Benslama dans *Les Inrocks,* 15 mai 2016, à l'occasion de la parution de son ouvrage *Un furieux désir de sacrifice, Le surmusulman* (Le Seuil, 2016).

avant qu'ils ne soient transformés en parfaits « dae-shisés », on perçoit mieux la complexité du processus. Si Daesh arrive à enrôler autant de jeunes de 12 à 25 ans, dont une bonne partie issus de familles de référence athée et de classe moyenne, c'est bien que ses recruteurs individualisent leur embrigadement de manière à combler leurs divers besoins et leurs idéaux. On ne peut embrigader de la même façon le jeune qui habite un HLM où 70 % de la population est au chômage, qui se fait contrôler au faciès trois fois par jour, et l'enfant du couple de profs qui habite le cœur de Paris et termine dans les premiers sa terminale S à Janson-de-Sailly.

Que la réforme de la compréhension de l'islam soit un vrai sujet, je n'en doute pas. Mais il n'y a pas à choisir entre « la radicalisation de l'islam » et « l'islamisation de la radicalité[1] ». Il y a à la fois radicalisation de l'islam et islamisation de la radicalité. Mais il n'est pas certain que la réforme de la compréhension et de la transmission de l'islam désamorce à elle seule la radicalité. Dans cette idéologie mortifère, nous verrons que nous sommes au cœur de l'humain : à un moment donné, les recruteurs arrivent à faire passer l'individu de son malaise personnel à l'adhésion au discours djihadiste. Ils le persuadent que son mal-être, même passager, sera réglé par l'adhésion à leur idéologie, seule capable à la fois de le régénérer et de régénérer le monde. Un lien cognitif

---

1. Débat actuel entre Gilles Kepel et Olivier Roy. Voir, de ce dernier, « Le djihadisme est une révolte générationnelle et nihiliste », *Le Monde*, 24 novembre 2015.

s'établit entre la dimension transcendantale de l'islam et l'expérience vécue par le jeune en question. Les recruteurs s'adaptent à son profil : ils proposent différentes raisons de « faire le djihad ». Ils adaptent leur discours aux aspirations cognitives et émotionnelles de chaque jeune, faisant miroiter de l'humanitaire à celui qui veut être utile, un monde utopique à celui qui trouve la société injuste, la mort à celui qui est dépressif, la vengeance à celui qui a été discriminé, la protection à la fille qui a été violentée, etc. Le jeune évolue alors vers une idéologie reliée à une identité collective. L'aspect « religieux » est néanmoins très important dans la radicalisation djihadiste car, au-delà de la justification idéologique qu'il légitime, l'islam se présente comme un récit qui permet non seulement de donner un sens à sa vie mais aussi de vivre en groupe. Comme le dit l'anthropologue franco-américain Scott Atran, « l'aspect religieux, certes, constitue la cause qui fédère ces compagnons dans un premier temps, mais ce qu'ils recherchent, c'est la force du lien[1] ». Nous verrons que l'aspect « relationnel » – pour ne pas dire fusionnel – est omniprésent à la fois dans l'offre djihadiste et dans la demande des jeunes.

C'est ce qui nous permet de proposer une définition de la radicalisation djihadiste comme *le résultat d'un processus psychique qui transforme le cadre cognitif de l'individu (sa manière de voir le monde, de penser, d'agir...), en le faisant basculer d'une quête personnelle à une idéologie reliée à une identité collective*

---

1. Scott Atran, « Terroristes en quête de compassion », in *Cerveau et Psycho*, n° 11, sept.-oct. 2005.

musulmane et à un projet politique totalitaire, qu'il veut mettre en action eu utilisant la violence. Comme l'indique Farhad Khosrokhavar, « la radicalisation est marquée par l'articulation entre une vision idéologique radicale et la volonté implacable de sa mise en œuvre. On y découvre ainsi une double radicalité que chacune des deux composantes ne possède pas à elle seule : idéologie extrémiste d'un côté, l'action extrémiste de l'autre, s'inspirant de ladite idéologie mais qui a sa propre spécificité et ne se réduit pas à une simple exécution[1] ». La question qui se pose à la prévention du radicalisme concerne l'endroit où mettre le curseur : doit-on prendre en charge le jeune dès lors qu'il a adhéré à l'idéologie extrémiste djihadiste ? Ou doit-on attendre qu'il prône l'usage de la violence pour mettre en œuvre cette prise en charge ? Autrement dit, les jeunes convaincus que l'islam exige la totale séparation avec « les autres » (y compris leurs propres parents, considérés comme des mécréants quelles que soient leurs convictions) et qu'il interdit de vivre dans un pays régi par des lois humaines doivent-ils être signalés et pris en charge ? Ou doit-on attendre qu'ils passent à la dernière étape, présentée comme une solution compensatoire par les recruteurs : rejoindre le califat de Daesh et/ou attaquer la société (les sociétés) qui ne s'organise(nt) pas selon la loi divine ? C'est une question essentielle à laquelle nous allons essayer de répondre.

Un autre aspect apparaît fondamental pour lutter contre le phénomène : l'individualisation de l'embri-

---

1. Farhad Khosrokhavar, *Radicalisation*, Éditions de la maison des sciences de l'homme, 2016, p. 21.

gadement. Alors qu'Al-Qaïda s'appuyait d'abord sur un projet théologique pour susciter l'adhésion à ses groupes, les recruteurs actuels s'appuient d'abord sur les ressorts intimes des jeunes, selon la société où ils vivent. Cette individualisation de la radicalité impose l'individualisation de la déradicalisation. Il faut comprendre pourquoi le discours radical a fait autorité sur tel ou tel jeune. Car, pour cela, il a fait sens pour lui, à un moment donné de son histoire[1]. Comme le dit Fethi Benslama, « ignorer le plan de la psychologie individuelle, c'est ne rien comprendre à ses motifs profonds[2] ». Comme lui, nous pensons que « prétendre se limiter à l'intention et à la conscience, aux facteurs sociaux pour expliquer les cruautés de la jouissance est tout simplement sommaire. […] Du côté de la psychanalyse, la tâche est d'examiner en quoi cette notion [la radicalisation] recèle une valeur symptomatique ou pas[3] ». Il s'agit d'aborder ce phénomène comme un symptôme afin justement d'en améliorer la prévention et d'en désamorcer la menace.

Car, d'une manière générale, l'impact psychologique de Daesh est aussi fort que son impact militaire : les djihadistes ne font pas que mener une guerre mais cherchent avant tout à créer une désorganisation émotionnelle au niveau individuel et à ébranler les repères de civilisation au niveau collectif. On ne combattra pas Daesh uniquement avec des bombes. On ne

---

1. Dounia Bouzar, *Quelle éducation face au radicalisme religieux ?*, Dunod, 2006.
2. Interview de Fethi Benslama dans *Les Inrocks*, *op. cit.*
3. Fethi Benslama, *Un furieux désir de sacrifice*, *op. cit.*, 2016, p. 23-24.

peut pas « sortir » les jeunes de l'idéologie de Daesh si l'on ne part pas de leur motif d'engagement et des procédés utilisés par les rabatteurs français. Pour bien lutter contre cette chaîne de la mort, il faut déjà en comprendre le processus, observer les petits pas, distinguer les différentes étapes et rendre visibles les fils invisibles des recruteurs. Puisque les jeunes cherchent une réponse à leurs questions existentielles, qu'ils se sentent baignés dans une sorte de cohérence entre leurs besoins et leur engagement, il faut les amener à se rendre compte du décalage entre le mythe présenté par le discours radical (par exemple, régénérer le monde en possédant la Vérité), leur motif personnel (par exemple, être enfin utile) et la déclinaison réelle de l'idéologie (devenir complice de l'extermination de tous ceux qui ne sont pas comme eux).

1

Comment l'adolescent
se radicalise-t-il ?

Le processus de radicalisation comprend un embrigadement relationnel et un embrigadement idéologique. L'embrigadement relationnel provoque une adhésion du jeune à son nouveau groupe et l'embrigadement idéologique suscite son adhésion à un nouveau mode de pensée. Les deux nourrissent un lien direct, ils sont entremêlés puisque la fusion au sein du groupe s'opère sur la conviction de posséder « le vrai islam » et que cette conviction constitue le ciment qui relie l'individu à son nouveau groupe. Autrement dit, la conviction influence les comportements et les comportements influencent la conviction.

L'isolement grâce à des discours de rupture

Les premiers signes de radicalité ne sont pas toujours religieux. Au tout départ, il n'est pas forcément question d'islam. Cela restreindrait trop la cible. Grâce à Internet, les rabatteurs peuvent arriver masqués[1]. Les jeunes ne savent pas qu'ils échangent avec des djihadistes. Ce n'est que dans un deuxième temps, une fois le processus de radicalité bien entamé, que certains cliquent sur des sites radicaux. La toile est une nouvelle aubaine pour les recruteurs. L'anthropologue franco-américain Scott Atran évoque le fait que « certains estiment que l'EI a ouvert 70 000 comptes Twitter et Facebook avec des centaines de milliers de followers, et qu'il envoie environ 90 000 posts chaque jour[2] ». C'était déjà l'avis du numéro deux d'Al-Qaïda, qui déclarait : « Le djihad médiatique, c'est la moitié du combat[3]. »

Camille croit avoir trouvé un grand frère, Isabelle et Hanane sont certaines d'avoir enfin rencontré de vraies amies ; Yasmina, un prince charmant ; Damien, son double ; Yacine, un érudit ; etc. Immédiatement, la conversation est valorisante. « J'avais l'impression que, enfin, on reconnaissait mes qualités », dit Isabelle. « Ils pardonnaient tous mes échecs. Quand je me plantais aux exams, ils avaient toujours la bonne parole pour relativiser et me déculpabiliser », explique Yasmina. Entourer le jeune fait partie de la stratégie des rabatteurs. Le premier chapitre de *A Course in the Art of Recruiting*, un manuel de recrutement alors dispo-

---

1. Constat qui émane de la recherche effectuée à partir de l'étude des conversations de 160 jeunes ayant tenté de partir avec le groupe radical par le biais d'Internet, publiée dans Dounia Bouzar, Christophe Caupenne, Sulayman Valsan, *La Métamorphose opérée sur le jeune par les nouveaux discours terroristes* (http://www.bouzar-expertises. fr/images/docs/ METAMORPHOSE.pdf).

2. Scott Atran, *L'État islamique est une révolution*, éditions LLL, 2016, p. 85.

3. Cité par Fethi Benslama, *Un furieux désir de sacrifice, op. cit.*, p. 32.

nible sur Internet, commence par : « Aime-t-il passer du temps avec vous ? […] Un dialogue ininterrompu doit s'installer, en même temps qu'une sorte d'amitié. »

Scott Atran parle de « besoin irrépressible de créer un noyau compassionnel[1] ». C'est exactement ce sentiment qu'expriment tous les jeunes que nous avons suivis : avoir trouvé un groupe qui répond à leur besoin de compassion et de proximité[2]. Ce produit de l'embrigadement relationnel sera le plus difficile à leur faire oublier pendant le suivi en déradicalisation. La rupture avec la fusion du groupe sera plus longue et douloureuse que la déconstruction de l'idéologie djihadiste.

Cette « sorte d'amitié » souvent virtuelle ne peut s'opérer que si les recruteurs arrivent à isoler le jeune de ses autres interlocuteurs… Il faut l'amener à se méfier de ceux qui l'entourent. Les travaux de Gérald Bronner[3] montrent que l'essence de toute vie sociale repose sur la confiance entre les humains. Si nous pouvons vivre les uns avec les autres, c'est que nous avons l'impression qu'une certaine prévisibilité caractérise notre vie collective, que l'autre va avoir un comportement similaire au nôtre. La première étape de l'embrigadement relationnel va détruire cette base

---

1. Scott Atran, « Terroristes en quête de compassion », *art. cit.*

2. Ce sentiment se retrouve à la fois auprès des 809 jeunes « prodjihad » que nous avons suivis ou accompagnés et des 305 jeunes salafistes quiétistes que les parents ou les préfectures nous demandaient de rencontrer pour vérifier qu'ils ne basculaient pas dans la violence (voir bilan 2016 sur cpdsi.fr).

3. Gérald Bronner, *La Pensée extrême : Comment des hommes ordinaires deviennent des fanatiques*, Denoël, 2009 ; *La Démocratie des crédules*, PUF, 2013 ; *La Planète des hommes. Ré-enchanter le risque*, PUF, 2014.

pour la remplacer par l'idée qu'il faut se méfier de son prochain, car ce dernier serait « endormi » ou « complice » de forces occultes qui détiennent le pouvoir. Certains rabatteurs se servent d'abord de vidéos qui critiquent le système de production, d'autres utilisent les arguments religieux. Ils veillent à ce que la nature de leur source soit crédible aux yeux du destinataire, de façon à ce qu'elle modifie davantage ses opinions.

Dans le premier cas, les recruteurs vont partager des liens YouTube qui montrent au jeune que tous les adultes lui mentent : sur ce qu'il mange, sur les vaccins, les médicaments, l'histoire, la politique, etc. Puis vient l'étape suivante où, de lien en lien, on lui révèle qu'il ne s'agit pas de simples mensonges individuels. Toute cette corruption provient de sociétés secrètes qui détiennent le pouvoir et entendent le conserver. Ces sociétés secrètes, les Illuminati, financées par Israël, veulent garder la science et la liberté pour elles-mêmes. Elles achètent et dominent tous les gouvernements. Elles ont inventé les virus HIV et Ebola afin de tuer le plus de monde possible, placent des hormones dans les réacteurs d'avion pour abêtir les populations, payent des industriels du secteur agroalimentaire ou pharmaceutique pour nous faire consommer des produits nocifs, etc.

Pendant son désembrigadement, Julie compte à peine six clics entre une vidéo sur les méfaits du Nutella et celle sur les Illuminati. Entre les deux, un film sur l'extinction des tigres due à la destruction des arbres en Amazonie, provoquée par l'utilisation de l'huile de palme par Nutella. Puis une vidéo sur le top des cinq entreprises les plus néfastes. Arrive alors le lien sur les Illuminati, qui financent ces entreprises destructrices.

Le jeune enchaîne les liens YouTube d'autant plus facilement qu'il se sent en sécurité dans sa chambre. On lui apprend maintenant que ces sociétés secrètes placent dans les publicités des œuvres d'art, des morceaux de musique, des images subliminales pour détourner les gens de la seule force capable de les combattre : le vrai islam, détenu non pas par la masse endormie des musulmans mais par les « véridiques », ceux qui se sont réveillés et qui ont accédé à la Vérité. C'est là que l'islam entre en scène. Les rabatteurs accompagnent le jeune dans sa rupture avec le monde réel. Ils continuent à le valoriser : le malaise qu'il éprouvait auparavant (comme tout adolescent) provient du fait qu'il a été élu par Dieu pour discerner la vérité du mensonge, contrairement à tous ceux qui l'entourent. Cette approche des rabatteurs permet d'inverser un sentiment de malaise, vécu de manière négative par le jeune et par son entourage, en une preuve de supériorité : c'est parce qu'il est élu qu'il éprouvait un malaise. Il percevait le monde corrompu alors que ses camarades y évoluaient sans s'en apercevoir.

Cette première croyance, qui n'est pas directement religieuse, place le jeune dans une position où il perd toute confiance en son entourage et rompt la communication avec toute personne qui ne serait pas élue, comme lui. Il adopte une vision du monde de type paranoïaque, à partir de laquelle il va rejeter la société dans laquelle il vit. Le témoignage de Norah, qui a tenté de partir deux fois en Syrie à l'âge de 16 ans, montre qu'il existe un lien direct entre le sentiment de persécution et la conviction d'être élu : « On savait qu'il ne fallait pas parler au téléphone… Fallait-il retirer la puce ? Ou carrément la batterie ? Car nos ennemis étaient partout. C'était quelque chose d'évident. Comme on possédait la vérité, on était forcément surveillés. Et plus on se sentait surveillés, plus on était persuadés de posséder la vérité. À mes yeux, j'appartenais à un groupe authentique, nous étions les plus réveillés. On nous traquait parce qu'on voulait nous endormir, nous endoctriner… J'avais peur que les gens m'endorment, je les voyais comme nocifs. Je devais me tenir éveillée, coûte que coûte. » Norah se met en rupture rapidement : elle ne va plus au lycée, ne parle plus à ses anciens amis, arrête de fréquenter la MJC et regarde ses parents comme des ennemis.

La théorie du complot et le sentiment de persécution qui en découle peuvent prendre une connotation sacrée. En islam, les hadiths sont qualifiés d'« authentiques » selon la valeur de celui qui les a rapportés. Pour Farid[1], on retrouve plus ou moins le même cheminement, mais la théorie du complot doit son authenticité à sa provenance. Avant de partir faire le djihad, ce jeune majeur n'était pas un fervent d'Internet. Il fréquentait un petit groupe de son quartier qui s'échangeait plutôt des vidéos sur le massacre des musulmans dans le monde entier. Il baignait aussi dans la notion de théorie du complot, mais celle-ci était transmise par le discours du groupe : « Quand cette théorie était reprise par des frères ou des gens considérés comme *ayant de la science*[2], elle prenait un caractère fondamental… Ce n'était pas qu'une simple théorie dont on pouvait débattre… C'était une information des frères qui étaient en Afghanistan, sur le

---

1. Voir son récit complet dans Dounia Bouzar et Farid Benyettou, *Mon djihad*, *op. cit.*
2. Expression signifiant : « qui connaît bien l'islam ».

terrain, ou qui provenait d'un site fait par des frères… On respectait énormément ces frères. Donc par extension, on respectait ce qu'ils disaient. »

Les divers prédicateurs sacralisent volontairement cette vision du monde paranoïaque en mélangeant les registres profane et sacré. Hanane est une jeune fille pratiquante qui a voulu rejoindre Daesh, persuadée qu'elle devait faire sa *hijra*[1]. Tout a commencé avec la théorie du complot : « Je me souviens d'un cheikh[2] qui parlait tout le temps de la fin des temps… Il analysait l'actualité pour trouver des signes de la fin des temps annoncés dans le Coran. Mais pour qu'on ne discute pas ses propos, il rajoutait des hadiths ici et là… Alors son discours devenait indiscutable, tu ne pouvais plus le remettre en cause. Ensuite, il faisait la même chose pour la théorie du complot. Quand elle arrivait dans son discours, elle était toujours secondée par cet aspect religieux, donc ce n'était plus discutable non plus… Tu ne peux pas lui dire : "Ah, tu as compris ça ainsi… Où sont tes preuves ?" Si tu remets en cause la théorie du complot, c'est comme si tu remets en cause le hadith qu'il a cité avec… Du coup, la théorie du complot devient presque aussi sacrée que le hadith. À la fin, tu es obligé de croire à la théorie du complot pour être un bon musulman… »

Le témoignage de Yacine, jeune majeur d'une famille non pratiquante, va dans le même sens : « Tu entends

---

1. Le prophète de l'islam a émigré à Médine pour se protéger des persécutions des Arabes de La Mecque, c'est ce qu'on appelle la hijra. Les intégristes font croire aux jeunes qu'ils sont persécutés partout dans le monde et qu'ils doivent tous émigrer en Irak et en Syrie pour rejoindre Daesh, seule terre où on les laisserait vivre leur islam.

2. Savant religieux.

qu'un cheikh aurait dit ça et ça… Tu ne sais pas quel cheikh… mais ça donne une autre dimension au discours. Cela peut être des propos qui feraient rire un enfant, des choses complètement absurdes, mais voilà… le simple fait d'avoir évoqué que le discours vient d'un cheikh… Dans ta tête, ce qu'on t'a dit est mêlé au spirituel, au mystique, à des signes de la fin des temps, ça devient acceptable, plausible… Si tu remets en cause ce discours, c'est comme si tu remets en cause ta foi… »

La théorie du complot permet de placer le futur radicalisé dans une défiance absolue et globale envers toute information qui passerait par les médias. C'est pour cette raison que les témoignages des premiers rentrés de Syrie qui décrivent la réalité qu'ils ont vue ne touchent guère ceux qui s'apprêtent à partir. Pour que ce type de témoignage puisse introduire le doute dans l'esprit d'une personne en train de se radicaliser, il ne faut pas qu'il passe par l'intermédiaire des médias…

Enfin, il existe clairement une argumentation religieuse qui pousse le jeune à se méfier des « autres ». Dans cet objectif, les radicaux utilisent des versets historiques en les isolant de leur contexte et en oubliant tous ceux de la période médinoise, qui posent les principes musulmans de base (versets principiels). En effet, dans le Coran, les savants distinguent les passages dits « principiels » – qui énoncent des vérités constantes – et les passages « circonstanciels », liés au contexte historique de la révélation[1]. L'argument religieux destiné à isoler le jeune n'est pas unique-

---

1. « Ce n'est pas parce qu'un conflit mentionné dans le Coran se justifiait à un moment de la vie du Prophète qu'il doit être sacralisé et poursuivi

ment utilisé par les pro-Daesh. Les salafistes piétistes, opposés à la violence, l'emploient aussi. Omar, jeune converti, a d'abord adhéré au salafisme : « On nous répétait sans cesse ce verset : "Les juifs et les chrétiens ne seront satisfaits de toi que lorsque tu suivras leur voie[1]." On te rabâche aussi un autre verset : "Ils ne cesseront de vous combattre jusqu'à vous faire quitter votre religion[2]." En fait, ces deux versets se rejoignent sur leur finalité : le monde extérieur veut tout faire pour te faire quitter ta religion… »

Le kamis[3] est utilisé pour se distinguer de ceux qui sont dans le faux et se reconnaître entre soi : « Du coup, tu es persuadé que tous ceux qui ne sont pas convertis vont tout faire pour te détourner de ta religion. C'est pour cette raison qu'on te dit de ne pas t'habiller comme eux, de ne pas parler comme eux, de ne pas penser comme eux… Tu mets le kamis pour te couper de ceux qui sont dans le faux. Tu nages dans ce discours latent que les mécréants vont t'éprouver dans ta foi. Le kamis permet de te protéger de la persécution des autres mais il te sert aussi à rejeter les autres… Quand je suis passé au djihadisme, on ne mettait plus le kamis car il était trop voyant. On devait être discret. Mais on garde l'idée qu'on doit rester ensemble et que le monde extérieur nous veut du mal. Ce sentiment de paranoïa est toujours présent, même s'il ne

de tout temps et en tout lieu », dit ainsi Tareq Oubrou, imam de Bordeaux, dans *Un imam en colère*, (Bayard, 2012, p. 63).

1. Coran, 2, 120.
2. Coran, 2, 217.
3. Longue chemise pour hommes qui couvre jusqu'aux pieds, plutôt portée pour la prière.

se manifeste plus par l'apparence. » Se sentir traqué renforce les liens entre ceux « qui savent ». Brian, qui est également passé d'un groupe salafiste piétiste à un groupe djihadiste, ne devait plus attirer l'attention par son apparence religieuse. Il a rasé sa barbe, rangé son long kamis, mais le sentiment de persécution lui permettait de reconnaître « les siens » : « C'était comme un code entre nous. Pour certains, c'est la manière de s'habiller. Pour nous, c'était ça qui nous liait à l'intérieur du groupe. Ça marquait une rupture avec les autres. Quelqu'un qui faisait confiance, qui ne se méfiait pas des autres, on devait le rejeter… » Les radicaux se méfient encore plus des autres musulmans : « À chaque fois, ils voulaient que je coupe les ponts avec d'autres frères, prétendant qu'ils allaient me mettre des ambiguïtés dans la tête, m'écarter de la bonne voie, m'amener à des innovations… Non seulement ils essayaient de me préserver des influences extérieures des jeunes de mon âge, mais là où ils insistaient encore plus, c'était vis-à-vis des autres musulmans. » La logique est la même pour reconnaître les « vraies sœurs » : « On nous expliquait qu'il existait une grande différence entre les sœurs qui portaient le hijab[1] et celles qui portaient le jilbab[2] ou, mieux encore, le niqab[3]. C'était clair pour nous que celles qui ne portaient que le hijab n'appartenaient pas à notre groupe, donc ne connaissaient pas le vrai islam. »

La théorie du complot et/ou l'argumentation religieuse enjoignant de se méfier des « autres » ne sont que des

---

1. Hijab : foulard.
2. Jilbab : grand voile couvrant la tête et le corps.
3. Niqab : grand voile couvrant le visage, la tête et le corps.

moyens d'isoler le jeune. L'objectif poursuivi consiste bien à faire que ce dernier se coupe progressivement de ses anciens interlocuteurs. Les discours musulmans prônant l'enrichissement du mélange humain existent[1]. Pourquoi ne font-ils pas autorité auprès de ces jeunes ? Éprouvent-ils déjà un vague sentiment de persécution ? C'est le cas de Farid, ancien djihadiste, qui trouvait dans ce discours une justification à son vécu social : « Ce sentiment de persécution avait comme finalité de nous couper de l'extérieur : il fallait rester avec les gens qui pensent comme nous, de cette manière-là, et surtout pas se mélanger aux autres. Les médias essayaient de nous faire du mal, les voisins, les profs, les éducs… Même les autres musulmans, les ennemis de l'intérieur, à plus forte raison, il fallait s'en écarter car ils seraient plus habiles pour nous détourner de notre voie. De la même manière que la théorie du complot, ils arrivaient à faire écho en se fondant sur des semi-vérités, nous interpellaient en évoquant des choses qui existent vraiment et en les amplifiant, nous faisaient gamberger en donnant des analyses qui n'étaient pas forcément exactes… Là, le sentiment de persécution était repris par le principe religieux "*Al-walaa wal-baraa*", qui correspond à "l'alliance et le désaveu". C'est un vrai principe musulman mais qui était déformé. Eux prétendaient que

---

[1]. D'autres versets expriment la richesse de la diversité et encouragent au dialogue : « Ô hommes ! Nous vous avons créés d'un mâle et d'une femelle, et Nous vous avons répartis en peuples et en tribus, pour que vous fassiez connaissance entre vous » ; « Et si Dieu l'avait voulu, Il aurait fait de vous une seule et même communauté ; mais Il a voulu vous éprouver pour voir l'usage que chaque communauté ferait de ce qu'Il a donné. Rivalisez donc d'efforts dans l'accomplissement de bonnes œuvres ».

le musulman doit garder proximité, amitié et fraternité avec le musulman et tout le contraire avec le mécréant. C'était présenté comme la base même de la religion. Ce sujet revenait très souvent, mais personne ne le maîtrisait, personne ne l'avait étudié. Le fait qu'il existait était utilisé comme une justification à notre sentiment de persécution : Les flics nous contrôlaient au faciès ? Qu'importe ! Il ne faut pas se mélanger aux "koffars" (aux mécréants) : *Al-walaa wal-baraa*… Personne ne bouge quand des musulmans se font massacrer ? Qu'importe ! *Al-walaa wal-baraa*… Cela permettait de donner un nom à notre sentiment. On s'en fichait d'être rejetés car on devait les rejeter. Il a fallu finalement que j'étudie ce thème pour comprendre comment il était manipulé par les radicaux : ce qui est interdit, c'est d'aimer la croyance des autres, au niveau religieux. Tu n'as pas le droit, en tant que musulman, de suivre la croyance des juifs ou des chrétiens. Mais à part ça, c'est tout le contraire. D'ailleurs le Prophète a fréquenté quantité de non-musulmans. La différence est même valorisée comme porteuse de richesse. Mais cet aspect était totalement gommé dans l'idéologie des salafistes[1]. »

La connaissance de l'islam ne protège pas de ce discours parce que cette demande de se mettre en rupture de la société fait écho à quelque chose de plus ancien. Le discours radical fait autorité parce qu'il donne du sens à une sensation diffuse. Myriam évoque cet aspect : « Quand j'avais lu le Coran, avant eux, j'étais passée sur ce passage sans y accorder trop d'attention. Ces versets qui demandent de se méfier

1. Dounia Bouzar et Farid Benyettou, *Mon djihad, op. cit.*

des non-musulmans sont intégrés dans un récit où l'on sait que c'est la guerre et que le Prophète se défend de tout le monde. Donc on comprend que Dieu parle dans un contexte précis. Mais quand c'est sorti de leur bouche, je me suis dit : "Ah oui, mais c'est évident, comment ai-je pu ne pas m'arrêter sur ces versets ?" C'est devenu une explication évidente à tous mes malheurs… Je venais d'être abandonnée par mon petit ami non musulman et je n'arrivais pas à m'en remettre. C'était un soulagement qu'on me dise ça ! »

Pour Hanane, une jeune femme ayant passé six mois en prison à son retour de Syrie, le sentiment de paranoïa est le « point commun » des djihadistes. On pourrait penser que, une fois rassemblés sur leur terre promise du califat, les individus perdent cette grille de lecture. Il n'en est rien. Hanane croyait rejoindre un monde utopique où les « vraies valeurs musulmanes » seraient appliquées : un monde sans violeurs, sans voleurs, où règnent solidarité, fraternité et justice. Elle voulait quitter la France parce qu'elle voyait des ennemis partout : « Tu vois les autres comme des gens mauvais, tu n'as plus besoin d'eux. C'est ça qui m'a conduite à faire ma hijra à la fin. Les mécréants nous veulent du mal, pourquoi rester avec eux ? » Une fois en Syrie, elle découvre la réalité du système totalitaire de Daesh : « Je suis sortie de la parano uniquement en arrivant là-bas… J'ai découvert les accusations d'espionnage, les injustices, les violences physiques, la dictature, les meurtres… J'ai réalisé que Daesh était comme l'Occident, en pire ! Il n'y a aucune justice là-bas ! Les forts exploitent les faibles. Alors j'ai compris que c'est le pouvoir qui crée des injustices, pas le fait d'être non musulman ! J'ai fui l'Occident des mécréants pour fuir les injustices et je les retrouve chez Daesh, multipliées par dix ! Avec la mort au bout… Au nom de l'islam cette fois ! » Hanane rentre en France soulagée : « Je m'en voulais tant d'avoir douté de mon pays. Dans l'avion, je voulais embrasser tout le monde. Ah, la France, comme je l'aimais ! J'étais prête à faire de la prison pour pouvoir retrouver mon pays… » Des mois plus tard, après son incarcération préventive, elle va à nouveau se sentir perdue, ne sachant plus à qui faire confiance, lorsqu'elle se retrouvera sans papiers, sans possibilité de travailler (car repérée comme « jeune du djihad », avec son laissez-passer qui remplace dorénavant sa carte d'identité…), en attente de son jugement[1].

Ce sentiment de persécution est fondamental dans le processus de radicalisation. Il semble même que le degré de dangerosité d'un jeune soit lié à son sentiment de persécution. Un terroriste se sent toujours en légitime défense. Grégory exprime bien comment il est passé de l'envie de sauver des enfants syriens à la certitude qu'il faut tuer tous ceux qui ne les sauvaient pas avec lui : « J'apprenais sur Internet que Bachar Al-Assad massacrait son peuple et que, finalement, la communauté internationale avait décidé de ne pas bouger. Plus je regardais les vidéos, plus on m'en envoyait d'autres, plus j'avais envie de faire partie de leurs sauveurs. Je me focalisais sur les injustices, je

---

1. Le temps d'attente pour les jugements en matière terroriste est très long car les juges doivent croiser les témoignages divers récupérés sur le net et via les écoutes téléphoniques pour vérifier les différents arguments des uns ou des autres.

ne voyais plus rien d'autre. On ne peut pas dire que celui avec qui tu parles est un gourou. C'est un endoctrinement sans gourou. Quand tu es dans cette idéologie, tu te coupes des autres tout seul. Omar ne faisait que me dire des choses qui me confortaient et je me disais "C'est bien ce que je pensais". Toujours est-il que je suis passé de l'envie de sauver les enfants à la certitude que la seule solution consistait à me battre contre les soldats de Bachar Al-Assad. Puis, je ne sais pas trop comment, je suis passé de l'idée de me battre contre les soldats de Bachar Al-Assad à la certitude qu'il fallait éliminer tous ceux qui ne se battraient pas avec moi ! C'étaient tous des complices de Bachar à mes yeux ! En fait, on finit par te persuader que, pour défendre les musulmans, il faut tuer tout le monde… »

Tous ces témoignages montrent que les jeunes qui discutent avec les recruteurs sont attirés par un « discours de rupture » élaboré grâce à un mélange variable de théorie conspirationniste et d'islam, les deux étant savamment entremêlés. Les versets coraniques incitant au lien entre tous les humains ne les intéressent pas, en imaginant qu'ils connaissent leur existence… C'est bien la « rupture » qui est recherchée, avec leur ancienne vie, leur ancienne identité, leur entourage, etc. Nous rejoignons ici la réflexion d'Olivier Roy, qui parle d'une « adhésion à un "islam de rupture", rupture générationnelle, rupture culturelle, et enfin rupture politique[1] », même si nos conclusions ne valident pas la caractéristique « nihiliste » qu'il prête à tous les jeunes

---

1. Olivier Roy, « Le djihadisme est une révolte générationnelle et nihiliste », *art. cit.*

djihadistes. Rien ne sert de leur offrir un « islam humaniste », c'est la radicalité qui les attire par définition.
Il estime que les convertis « choisissent l'islam parce
qu'il n'y a que ça sur le marché de la révolte radicale[1] ».
Si l'on se base sur l'étude des conversations de nos
jeunes avec leurs recruteurs, on retrouve une interaction
entre l'offre de rupture des recruteurs, qui s'élabore par
une approche émotionnelle anxiogène (tout le monde te
ment et te manipule), et le besoin de fuir le monde des
jeunes. Les recruteurs ne s'y trompent pas puisqu'ils
n'utilisent que des discours musulmans de rupture, en
transformant ou en décontextualisant des concepts religieux pour couper leur groupe des autres, et notamment
le fameux « *Al-walaa wal-baraa* » qui renforce le sentiment de persécution en interdisant de fréquenter des
juifs ou des chrétiens. Mais, et c'est là que les choses
se complexifient, ces jeunes se mettent en rupture
avec leur monde actuel pour créer de nouveaux liens,
comme s'ils manquaient de rapports avec autrui… Tous
cherchent un groupe fusionnel, une sorte de tribu. Les
recruteurs l'ont aussi compris et l'offre d'une communauté de substitution protectrice et aimante fait contre-
poids avec la rupture opérée précédemment.

L'absorption et la fusion au sein de la nouvelle tribu

Après avoir isolé le jeune de ses anciens interlocuteurs, le groupe radical lui propose une sorte de fusion
au sein de laquelle il va se dissoudre. Pour arriver à

1. *Ibid.*

annihiler toute singularité chez l'individu, le discours radical donne aux jeunes la même grille de lecture du monde. La vision paranoïaque renforce la fusion de groupe et l'isolement vis-à-vis de la société : tout groupe se méfiant de l'extérieur se replie sur lui-même. Progressivement, l'individu perd ses anciens repères affectifs, mémoriels, intellectuels, jusqu'à ce que l'identité du groupe absorbe progressivement son identité. In fine, le groupe pense à la place de l'individu. C'est l'embrigadement relationnel qui permet ensuite l'exaltation de groupe, à la base de toutes les idéologies de rupture.

Pendant cette phase, il s'agit de donner l'illusion à l'adolescent que les membres du groupe radical ressentent exactement les mêmes choses que lui. Les recruteurs vont accentuer ses ressemblances avec les membres du groupe et ses différences avec l'extérieur. Pour se distinguer des autres « radicalement », il faut d'abord se reconnaître « entre soi ». Les recruteurs persuadent les jeunes que l'islam impose le port de vêtements couvrants qui détruisent les contours identitaires, tant pour les garçons que pour les filles. Tout musulman peut certes porter ce type de vêtement au moment de sa prière, mais le discours de l'islam radical l'impose de manière permanente comme seul habit licite devant Dieu (halal). Porter un hijab (foulard) serait interdit. Il faut impérativement recouvrir l'ensemble du corps par un jilbab (visage apparent), un niqab (yeux apparents) ou un sitar (rien d'apparent), de manière à effacer les contours identitaires. Le garçon doit porter un kamis également. Revendiquer le port de vêtements couvrants n'est qu'une première étape car, par la suite, les djihadistes conseilleront au contraire d'ôter tout signe religieux afin de ne pas attirer l'attention des autorités. Mais, pour le moment, il s'agit de faire oublier au jeune son individualité.

Lorsque nous suivons le jeune en déradicalisation, une vraie « désintoxication » du jilbab ou du niqab s'opère alors. Les filles sont souvent « attachées », au sens propre du terme, à ce qu'elles considèrent comme leur « meilleur ami » ou leur « doudou »… Ce vêtement incarne une fonction différente pour chacun. Isabelle l'investit d'abord comme une enveloppe protectrice. Lorsqu'elle va tenter de l'ôter pour porter un simple foulard (hijab), à notre demande, la panique l'envahit, comme si l'extérieur pouvait lui faire du mal. Elle va devoir apprendre à protéger son corps autrement et trouver un autre moyen pour définir ses limites corporelles. Marie-Madeleine, Nadia, Rosalie et tant d'autres finissent par avouer qu'elles ont été victimes d'un viol ou d'un abus sexuel dans l'enfance ou au début de leur adolescence. Une grande proportion des adolescentes que nous avons suivies et qui ont tenté de partir pour la Syrie révèlent ce traumatisme. Dans ce cas, le jilbab leur permet de déterminer ce qui leur appartient (leur corps) et de le protéger du reste du monde. Elles l'investissent comme une carapace, une sorte d'écran, de frontière infranchissable vis-à-vis de l'extérieur. Les recruteurs doivent le sentir car ils en parlent comme d'un écrin : « Tu es un diamant et le niqab est ton écrin, Dieu protège tout ce qui brille. » Ces propos revalorisent les adolescentes et leur rendent une sorte de virginité symbolique. Contrairement à ce que l'on pense, la jeune fille n'a pas besoin d'être vierge pour faire partie de « ceux qui détiennent la vérité ». Au contraire, l'embrigadement propose une « nouvelle naissance », une sorte de régénération personnelle. Peu importe ce que l'on a vécu avant, la nouvelle vie commence maintenant, lorsqu'on est élu par Dieu.

Il n'est pas étonnant que Camille exprime qu'elle n'existe que lorsqu'elle porte son niqab : « Quand tu commences à t'intéresser à l'islam, tu as l'impression que ça rassemble tout le monde, que ça amène la paix… Ça te donne envie, toute cette fraternité. Et puis porter le niqab m'a libérée. Avant, je ne supportais pas les regards dans la rue, je n'osais plus sortir dehors. J'avais le sentiment que tout le monde me regardait comme une mauvaise personne. Je n'arrivais plus à vivre avec la peur en moi. Je n'avais plus la force de sortir de chez moi. Je n'allais plus en cours. Je ne répondais plus aux textos de mes amis. C'est comme si, en moi, il y avait eu quelque chose de malhonnête, de mauvais… Et le niqab me protégeait de cette chose. Et comme il me protégeait, les gens ne pouvaient plus me faire du mal. […] Du coup, j'avais l'impression d'exister… » De nombreuses jeunes filles expriment le même sentiment lorsqu'elles portent le jilbab. L'évocation de la protection n'est pas l'apanage des filles. Farid en parle aussi : « Les frères me disaient que c'était comme une orange : il faut une écorce pour protéger le fruit. Si tu l'enlèves, le fruit pourrit. Le kamis était ma nouvelle peau. » Revêtir une nouvelle peau donne le sentiment de se régénérer : « À partir du moment où j'ai porté les kamis, j'ai eu l'impression d'être un autre, d'avoir une nouvelle identité. » Farid n'arrivait à lire aucun livre recommandé par le milieu scolaire. En revanche, il se met à dévorer des ouvrages théologiques. Lui qui rejette tout apprentissage se passionne pour la langue arabe : « Le basculement dans la religion m'a motivé. En fait, je voulais vraiment être en rupture avec ma vie d'avant. Puisque, avant, je ne lisais pas, maintenant je lisais sans arrêt… J'étais une autre personne et je voulais une autre vie. » S'ajoute ici au processus de rupture le sentiment de « renaissance », souvent exprimé par nos jeunes.

De plus, le niqab ou le jilbab permettent d'atteindre un sentiment de fusion « entre sœurs ». Elles ont l'impression d'être « les mêmes » lorsqu'elles se rencontrent, d'avoir les mêmes caractéristiques et de ressentir les mêmes émotions. Léa nous dit : « Lorsque je croise une sœur en niqab, j'ai l'impression que c'est une "autre moi". » Rajaa ajoute qu'elles sont comme les doigts de la main, liées à la même racine. Salomé estime qu'il ne peut rien lui arriver tant elles sont unies. Cette fusion au sein du groupe est facilitée par le fait qu'elles sont toutes « les mêmes », puisque leurs contours identitaires sont gommés. Aucune singularité individuelle ne dépasse. Ce sentiment de similitude qui mène à la fusion au sein du groupe se retrouve chez les garçons avec le port du kamis : « Lorsque je voyais un autre kamis dans le RER, j'allais directement saluer ce frère car je savais qu'on partageait le même univers, qu'on pensait la même chose. On se parlait comme si on se connaissait depuis toujours, sans besoin de se présenter. C'était comme si je retrouvais un membre de ma famille après un moment d'absence. »

Hanane est partie rejoindre Daesh pour vivre dans un monde où ce sentiment de fusion serait permanent.

Hypersensible, déçue par ses amitiés du lycée et de l'université, trahie par sa meilleure amie, elle passe d'abord des heures sur Internet avec « des sœurs qui [l']aiment pour ce qu'[elle est] vraiment ». « Je me sentais dans un cocon dès que je me branchais. On se comprenait, on s'encourageait. Elles étaient toujours là pour moi, à n'importe quel moment de la journée et de la nuit. Elles trouvaient toujours des prétextes à mes erreurs, à mes échecs. Je pouvais tout leur dire, même quelque chose d'haram (illicite devant Dieu), comme écouter de la musique... Je planais littéralement à l'idée de vivre dans un monde de bonté et de fraternité féminine... Je les aimais plus que mes vraies sœurs. » Lorsqu'elle a été incarcérée, Hanane a dû faire le deuil de ce sentiment de fusion ressenti avec « ses sœurs ». Pendant les séances de déradicalisation après sa sortie de prison, un an plus tard, elle avoue que le « retour dans le monde réel » est très compliqué. Les relations humaines lui paraissent toujours aussi difficiles et décevantes, même si elle ne rêve plus du monde utopique de Daesh. Elle retourne sur les lieux où elle a connu ce sentiment d'exaltation : « À la fin, avant de partir en Syrie, on se donnait rendez-vous dans le 93, on enfilait un niqab et on allait faire les folles dans les rues, comme des gamines. Certaines étaient déjà sur zone mais d'autres attendaient le feu vert des frères qui organisaient les voyages. On venait de toute la France pour se voir. On passait souvent devant une salle de sport... Eh bien, ces derniers jours, je prends le train et je retourne exprès dans cette ville pour traîner devant la salle de sport. Quand je me sens seule, j'ai toujours l'espoir de me rappeler ce sentiment si fort éprouvé alors avec mes sœurs... Je voudrais tant revivre cet instant... En vain... Je me dis que plus jamais je ne pourrai ressentir cela... »

Le vêtement couvrant n'attire pas tous les jeunes pour les mêmes raisons. Il donne l'illusion de la protection, de la fusion, mais permet aussi de se distinguer des « autres ». C'est cet aspect qui attire Farid, pendant son adolescence, car il n'arrive pas à se projeter au sein de la société. Depuis son entrée au collège, rien ne l'intéresse, mis à part la perspective de s'échapper des cours... Lorsqu'il rencontre les salafistes, le kamis prend une importance fondamentale : « Leur apparence vestimentaire, c'est la première chose que je repère chez eux. Je suis instantanément attiré par le kamis, il devient un objectif en lui-même. Je sais que c'est l'habit du Prophète et, immédiatement, je regarde les salafistes comme des personnes qui pratiquent leur religion pleinement, tout simplement. Cela devient évident pour moi : les autres musulmans font des concessions pour ne pas se faire "mal voir", pour ne pas choquer l'Occident, alors que les salafistes sont fidèles à l'islam[1]. » En rupture scolaire et sociale, en recherche de place, Farid est déjà dans une posture où il ne fait « aucune concession » vis-à-vis des adultes qui lui demandent de rester scolarisé, de réfléchir au métier qu'il veut exercer, etc. Rencontrer un groupe dont la philosophie se résume à « aucune concession » donne un sens à sa vie. Ce n'est plus simplement une attitude négative, cela devient la preuve de sa fidélité à l'islam : « J'étais persuadé que le fait de porter les habits du Prophète, de reproduire ses faits et gestes, me permettrait de retrouver le vrai

---

1. Dounia Bouzar et Farid Benyettou, *Mon djihad, op. cit.*

message de l'islam et d'y rester fidèle, contrairement à la masse des musulmans. J'avais trouvé un sens et un but à ma vie, enfin. » Le kamis le distingue aussi de ses camarades : « À partir du moment où tu portes le kamis, tu deviens quelqu'un qui est dans la religion. Même ceux qui boivent et vont en boîte, ils te voient comme ça. Ils me respectaient, faisaient attention à leur langage quand ils étaient à mes côtés, comme s'ils ne voulaient pas me souiller. J'ai vite compris que l'habit permet de faire la différence, de faire la distinction. »

Le vêtement couvrant apporte aussi un sentiment d'invincibilité. Ce n'est pas seulement le vêtement en lui-même qui rend les jeunes invincibles, mais aussi le sentiment de fusion qui se crée entre eux. Pendant son suivi en déradicalisation, Hayiet prend progressivement conscience du lien entre le niqab et son besoin de cacher sa sensibilité : « Mon niqab, c'était plus qu'une protection, c'était une force aussi. On pouvait me dire tout ce qu'on voulait, rien ne m'atteignait… Ce n'était pas que le niqab, c'était "nous toutes en niqab". On était invincibles. Plus on nous regardait mal, plus on se sentait supérieures. On avait compris ce que l'islam demandait vraiment et rien ne pouvait nous arriver. Rien à voir avec ces filles au hijab qui font juste leurs prières et leur ramadan ! J'étais persuadée que plus jamais je ne serais seule. Maintenant que j'ai perdu mon groupe, c'est comme si j'avais perdu mon bouclier. » Un an plus tard, elle reconnaît tenir encore à ces personnes. Une grande solitude l'envahit car les relations humaines qu'elle tente de reconstruire sont toujours décevantes. Elle rêve de retrouver cette fusion un peu magique qui les liait : « Faire confiance est mon principal handicap aujourd'hui. Je sens que je développe une sorte de provocation où j'aime effrayer la personne d'en face. Je me sers maintenant de mon passé chez Daesh pour faire peur. Je ne veux pas qu'on s'approche de moi, en fait... » Lorsqu'on demande à Hayiet si, au final, elle a peur de s'attacher, elle fond en larmes et admet qu'elle ne veut plus « être déçue » : « Je ne veux plus jamais revivre le sentiment d'abandon. »

Ces témoignages, que nous avons sélectionnés parce qu'ils sont les plus représentatifs, montrent bien que l'aspect relationnel est au cœur de l'adhésion au projet djihadiste. C'est comme si, au sein de la nouvelle tribu virtuelle ou réelle, les jeunes se parlaient mieux, pouvaient se confier, être compris, aimés, protégés... Dans une interview, Scott Atran déclare : « Ce qui m'a toujours étonné chez les futurs kamikazes, c'est qu'ils ne respirent pas la haine (et la plupart des observateurs qui les étudient sur le terrain vous le diront) mais, cela va être horrible à dire, ce sont des gens qui respirent l'amour. Ce type d'analyse est presque impossible à entendre pour nous, mais il faut faire cet effort, au risque de ne jamais rien comprendre au phénomène, et de le laisser s'étendre. Dans une logique tribale, il faut considérer l'intérieur du groupe, et il faut ici parler du besoin de compassion et d'intimité, plus que de haine et de destruction. »

Cela nous renvoie à une préparation de séance de déradicalisation avec deux repentis pour une jeune fille qui tentait de partir[1]. L'équipe avait diagnostiqué une peur de la mort, car sa grand-mère venait de décéder

---

1. Séance filmée par la réalisatrice Laëtitia Moreau dans le documentaire *Djihad, les contre-feux*.

brutalement. Nous avions aussi compris que Daesh lui proposait une communauté de substitution rassurante et aimante, avec la promesse d'un mari protecteur. La première repentie nous a raconté que, auparavant, l'idée d'épouser un homme inconnu la rassurait parce qu'elle ne serait pas attachée à lui. « N'aimer que Dieu » signifiait qu'elle allait retrouver ses proches au paradis. Elle explique que la rupture avec ses parents, qu'elle qualifiait de mécréants parce qu'ils n'adhéraient pas à son idéologie, n'était pas motivée par un manque d'amour mais par la perspective de les retrouver au paradis, paradis garanti si elle adhérait au groupe radical. Finalement, à ses yeux, la mort faisait lien. Nous avions alors réalisé que les recruteurs donnent l'impression aux jeunes qu'on ne peut trouver du lien que dans la mort (un lien éternel pour le coup). L'offre de « lien humain intense » passe aussi par la promesse de « mourir pour les autres ». Ces quelques phrases de Fethi Benslama résument ce chapitre : « Lorsqu'ils sont enrôlés dans un groupe, là le piège de l'emprise se ferme sur eux, ce n'est pas seulement un processus de soumission, mais de dilatation des limites de l'individu. Il se crée un corps collectif qui favorise la mégalomanie de chacun, les suicidaires peuvent alors s'autosacrifier[1]. » En fait, les limites de la subjectivité individuelle sautent et une subjectivité commune se met en place.

---

1. Interview de Fethi Benslama dans *Les Inrocks*, *art. cit.*

Des indicateurs d'alerte fondés sur les comportements de rupture et non sur l'apparence ou la pratique religieuse

Présenter tous les adultes comme des « complices » ou des « endormis » des sociétés secrètes, affirmer que l'islam interdit leur fréquentation permet aux groupes radicaux d'isoler le jeune et de le couper progressivement de tous les interlocuteurs qui contribuaient à sa socialisation. Dissoudre sa singularité au sein d'un groupe protecteur et fusionnel fortifie leur emprise sur lui. Ces deux étapes principales de l'embrigadement relationnel provoquent des ruptures sociales, qui nous ont servi à établir les premiers indicateurs d'alerte pour différencier ce qui relève de l'islam de ce qui révèle d'un début de radicalisme.

Les premiers indicateurs peuvent être résumés par quatre sortes de rupture.

Rupture avec les anciens amis. Tous les adolescents qui se distancient de leurs camarades ne sont pas radicaux ! Mais peu de radicalisés restent liés à leurs anciens amis. Ils ont le sentiment que ces derniers sont des « endormis » et ne peuvent « rien comprendre » à la vérité.

Cet indicateur est l'un des plus fiables. Dès qu'un jeune est en contact avec le discours radical, une rupture se crée avec ses anciens amis, dès lors qu'ils ont refusé de le suivre vers sa nouvelle « vérité ». Les radicaux lui ont tant dit qu'il était élu... En parler peut lui donner le sentiment de trahir ce secret. Il peut garder pour lui cette conviction sans en parler à personne. Les parents ou les professionnels ont toujours un peu de mal avec cet indicateur, considérant que les disputes entre amis font partie de l'adolescence. Pourtant, il ne s'agit pas de simples disputes mais bien de ruptures. On repère le jeune qui se radicalise à son isolement, à un âge où habituellement il a plutôt tendance à chercher sa tribu… Sauf que, là, aucune tribu n'est visible ! Et c'est bien parce qu'il en a trouvé une autre (virtuelle, par Internet, ou physique, dans le quartier) qu'il peut se retrancher ainsi de ses pairs. Pendant leurs séances de déradicalisation, les jeunes témoignent de l'importance du lien avec leur « nouveau groupe », qui se présente comme une véritable communauté de substitution sacrée, les aimant plus que quiconque. Pour les jeunes de cette tranche d'âge, cet aspect de l'embrigadement relationnel est plus difficile à combattre que l'embrigadement idéologique. Se couper de ses « nouveaux amis » sera le plus dur…

Léa[1], en instance de jugement pour participation à une entreprise terroriste (préparation d'attentat sur le territoire français), est privée d'Internet par son juge et par ses parents. Elle se stabilise pendant cette période de privation. Au bout de six mois de suivi, elle déconstruit les raisons pour lesquelles le discours djihadiste a fait autorité sur elle : les recruteurs se sont appuyés sur son profil Facebook, où elle exprimait son besoin

---

1. Quantité de fausses informations, reprises en boucle sans investigations par différents journalistes, circulent sur le net sur cette jeune fille… Une vidéo de son témoignage, explicitant notamment son addiction envers le groupe, se trouve sur http://www.cpdsi.fr/actu/lea-avec-investigation-et-video/

de « servir à quelque chose » et sa volonté de faire des études d'infirmière. Ils l'ont culpabilisée sur le fait de rester en Occident en lui montrant quantité de vidéos d'enfants massacrés par Bachar Al-Assad. À aucun moment ils n'ont évoqué le djihad. Lors de leurs échanges, ils se montraient valorisants et affectueux. Léa évoque cette période comme un mélange d'addiction et de harcèlement, dont elle était la victime consentante : elle se mettait en ligne tôt le matin, avant que le réveil sonne. Elle raccrochait son téléphone au milieu de la nuit, vers 3 heures, cachée sous ses draps pour que ses parents ne s'aperçoivent de rien, s'endormant en parlant, l'appareil à la main. Plus de cinquante adultes communiquaient avec elle tous les jours, par Internet et par téléphone. Pendant la journée, elle « errait » au collège, se sentant « dans un autre monde ». Au cours de son suivi, Léa a pris conscience du danger que représente Internet pour elle. Pourtant, lorsqu'elle est assez stable pour entamer un stage professionnel, l'obsession d'avoir un téléphone revient. Elle finit par en récupérer un sur le bureau de sa directrice et s'enferme dans les toilettes avec pour… se rebrancher quelques minutes avec son groupe radical. Plus tard, Léa expliquera qu'elle ne souhaitait plus repartir en Syrie, ayant bien compris qu'il n'y avait pas d'action humanitaire chez Daesh. Mais, malgré cette prise de conscience, elle avait besoin de « leur parler ».

Le juge antiterroriste a convoqué la jeune fille et lui a rappelé ce qu'elle risquait, puisque l'interdiction de se remettre en contact avec les recruteurs faisait partie de son contrôle judiciaire. À défaut, elle irait en prison, malgré son jeune âge. Léa n'a pas réussi à tenir son nouvel engagement et a reproduit ce scénario plusieurs fois, appelant ensuite nos équipes en pleurant et en avouant : « J'ai fait une bêtise... Mais c'est si dur de me couper définitivement d'eux... » Entre deux « reconnexions », elle continuait à déconstruire son processus d'embrigadement, réinvestissait sa place au sein de sa famille, reprenait sa scolarité et réussissait ses examens. Nous avons demandé un placement en centre éducatif fermé (CEF), au seul motif de cette « addiction à Internet ». Le juge l'a refusé, estimant qu'elle était mieux chez elle du fait de son jeune âge. Pourtant, quelques mois plus tard, le procureur demandait et obtenait une incarcération pour entrave aux obligations de son contrôle judiciaire (ne pas se remettre en contact avec les djihadistes, par quelque moyen que ce soit). Pourtant, du point de vue idéologique, Léa n'était plus radicalisée : elle connaissait et rejetait les exactions de Daesh. C'est bien le lien avec ses « nouveaux amis » qui l'a conduite en prison.

Cette importance de l'embrigadement relationnel ne concerne pas que Léa. Tous les adolescents sont très liés à leur nouveau groupe fusionnel. Les témoignages des adolescents se ressemblent. Les recruteurs le savent car ils ont accentué l'aspect « fraternel » dans leur propagande. Ils utilisent des concepts qui rappellent de mauvais souvenirs historiques : la pureté du groupe et la primauté du groupe purifié... Il faudrait se souder entre élus pour combattre le déclin du monde corrompu.

Rupture avec l'école. Tous les adolescents en rupture scolaire ne sont pas radicaux ! Mais peu de radicalisés arrivent à s'investir dans leur apprentissage, puisqu'ils perçoivent leurs enseignants comme des personnes payées par les sociétés secrètes pour les endoctriner. Persuadés d'avoir plus de discernement parce qu'ils sont élus, les radicalisés craignent que l'Éducation nationale les prive de leur libre arbitre. Cette rupture de confiance envers les adultes-repères crée une baisse d'investissement scolaire qui retentit sur les notes. Il n'est pas rare que d'excellents élèves passent du 18 au 5 de moyenne générale en quelques semaines de relation avec le groupe radical. Ceux qui avaient déjà des difficultés scolaires ont du mal à ne pas tomber dans l'absentéisme pur et dur. Tous ont l'impression de perdre leur temps ou, pire, de se mettre en danger en écoutant de « fausses vérités ». Pour parfaire l'embrigadement relationnel, le groupe radical veille à ce que les jeunes se coupent de toutes les sources qui pourraient les faire réfléchir. Une image échangée sur les réseaux sociaux par les djihadistes indique : « Repousse la pensée, car si tu ne le fais pas, elle deviendra une idée. Donc éloigne l'idée, sinon elle se transformera en désir... » Le but est clair : le jeune ne doit plus penser et ne plus rien ressentir. Progressivement, le seul groupe deviendra son support existentiel.

Le discours de l'islam radical remplace la raison par la répétition et le mimétisme. En fait, le groupe fait croire aux jeunes que la seule façon de posséder la vérité consiste à copier les pieux ancêtres. Au lieu de se référer au Prophète comme le font les musulmans, les radicaux ne raisonnent que par analogie : Qu'est-ce que le Prophète aurait pensé de cette question ? Aurait-il bu dans ce verre ? Aurait-il porté cet habit ? La vie du Prophète ne leur fournit pas d'explication du monde, c'est la perspective de la reproduire qui alimente leur existence. Pas besoin de comprendre, pas besoin de réfléchir, pas besoin des autres, la répétition donne l'illusion de rester fidèle au message de l'islam. Le radicalisé enjambe la chronologie pour entrer dans un temps sacré. Il rejoue l'époque de ce qu'il considère comme « la création du monde », l'âge d'or de l'islam. C'est aussi pour cette raison que les rituels et l'apparence prennent tant d'importance : en répétant de manière systématique les faits et gestes des premiers compagnons, il a le sentiment de recréer l'atmosphère magique sacrée des événements miraculeux du commencement de la vie. C'est comme s'il sortait du temps réel pour entrer dans un temps virtuel, considéré comme un temps sacré partagé avec Dieu.

La mise en veilleuse des facultés intellectuelles individuelles facilite l'exaltation de groupe. Pour être identiques, les membres du groupe radical doivent avoir la même perception du monde. Pendant les séances de déradicalisation, beaucoup de jeunes se rappellent les nombreux textos et mails qu'ils recevaient toute la journée et toute la nuit pour leur dicter leurs pensées et comportements. Le doute est l'ennemi numéro un du groupe radical. L'individu ne doit pas se poser de questions. Rachid explique comment il tentait d'évacuer ses incertitudes lorsqu'il était radicalisé : « À l'époque, je croyais être le seul à douter et je voyais les autres qui étaient fermes dans leur position. J'avais honte de me questionner. Je voyais ça comme un manque de confiance en Dieu, donc un manque de foi. Du fait que les autres ne doutaient pas, je me disais qu'on était si nombreux qu'on ne pouvait pas se tromper. »

Marie, jeune majeure en suivi de déradicalisation, l'exprime aussi : « Maintenant, je l'appelle le complexe du *hamdoulillah* [merci mon Dieu]… En fait, on n'avait pas le droit de poser des questions. Quand j'en posais une, on me regardait comme si j'étais redevenue une mécréante. Croire en Dieu, ça voulait dire ne plus réfléchir. Pour eux, c'est un dieu qui fait tout à notre place. Au début, ça soulage à fond… J'étais contente car tous mes échecs s'expliquaient : c'étaient des épreuves voulues par Dieu pour tester ma foi, je n'y étais pour rien… Maintenant, je me rends bien compte que ce n'était pas Dieu mais mes recruteurs qui pensaient à ma place… »

La reprise du raisonnement complexe est l'un des signes de sortie de radicalité. Alors que le discours radical place l'individu dans une vision du monde bipolaire, avec le vrai d'un côté et le faux de l'autre, il s'agit de vérifier si le jeune réintroduit plus de complexité. Accepte-t-il la contradiction ? Arrive-t-il à échanger avec des personnes qui ne pensent pas comme lui ? Amène-t-il des arguments quand il échange ? Les parents ne s'y trompent pas. Ils sont capables d'évaluer le niveau de radicalité de leur enfant à son type de raisonnement. Tous ont témoigné qu'il était impossible de discuter avec leur enfant, qui semblait répéter inlassablement les mêmes propos dès qu'il s'agissait de sa relation au groupe radical. Parfois, le jeune raisonne sur certains sujets mais se bloque dès qu'on arrive à l'islam ou à ses « nouveaux amis ». Le changement le plus flagrant s'observe quand il a rejoint physiquement son groupe radical. Il interprète alors la réalité uniquement au travers du discours radical et répète les mêmes propos de manière automatique à chaque conversation, souvent issus de hadiths ou de versets réinterprétés par Daesh. Cela ne signifie pas qu'il ne raisonne plus. À ce stade, son système cognitif s'est complètement transformé. Il évolue à partir de sa nouvelle grille de lecture du monde et met en place des stratégies qui lui semblent cohérentes. En fait, les propos émanant du groupe radical placent le jeune dans un monde anxiogène contre lequel il veut se protéger. Le propre de ce discours est à la fois de générer une anxiété et d'orienter le jeune vers le choix de solutions de plus en plus dysfonctionnelles, à commencer par des ruptures sociales, scolaires ou professionnelles et familiales, jusqu'à le conduire à rejoindre le groupe radical et/ou à la violence. Plongé dans une défiance exacerbée envers tout adulte et l'ensemble de la société, le jeune veut se protéger en rejetant ce monde corrompu qu'il cherche dorénavant à fuir. Les plus radicalisés passent de la fuite et du rejet de la société à la conviction que « seule une confrontation finale avec la société pourra la régénérer ».

Autrement dit, une fois radicalisé, le jeune se sent en position de légitime défense et appréhende « les autres » comme des ennemis potentiels. Lorsqu'un interlocuteur non radicalisé s'adresse à lui pour tenter de le raisonner, il le perçoit comme un individu jaloux qui tente de « lui mettre le doute » pour l'endormir à nouveau. Dans ce changement de perception de l'environnement réside l'une des principales difficultés de la déradicalisation. Vouloir entamer la déradicalisation en se plaçant de prime abord sur le registre du savoir ou de la raison s'avère donc inefficace. Cela explique les ratés des programmes de discours religieux alternatif de nombreux pays, qui payent des imams pour transmettre « le bon islam »… Nous verrons plus tard qu'il faut contourner cette manière de penser et d'agir du jeune (son changement cognitif) et non l'affronter dans la première étape de la déradicalisation. C'est par l'émotion que le discours radical a placé le jeune dans un monde anxiogène contre lequel il doit se défendre. C'est donc cette perception de type paranoïaque qu'il va d'abord falloir transformer, également par une approche émotionnelle cette fois-ci rassurante, pour permettre au radicalisé de retrouver une confiance minimale envers les interlocuteurs et le monde réel, avant de vouloir entreprendre de changer son système cognitif.

Rupture avec les activités extrascolaires de loisir. Le discours radical arrive à couper le jeune de tout espace culturel et/ou sportif. Cela produit un double effet : l'éloigner une fois de plus de référents adultes socialisants, mais aussi de visions du monde différentes, et lui interdire tout ressenti personnel. Une fois que le discours « djihadiste » a dilué le jeune dans le collectif paranoïaque, il termine l'« anesthésie » de ses sensations individuelles en le coupant de toute culture, afin de lui interdire l'expérience du plaisir et l'incarnation de tout ressenti : plus de sport, plus de musique, plus d'art, plus de loisirs… Le jeune n'a plus de temps privé, c'est le groupe qui détermine comment il utilise son temps. La sphère publique envahit la sphère privée. Ainsi, le groupe radical peut augmenter ses émotions négatives en multipliant les informations anxiogènes sur le monde hostile qui l'entoure (ils veulent t'endormir ou t'anéantir parce que tu es élu et que tu possèdes la vérité). Comme nous l'avons déjà exposé précédemment, le changement cognitif du radicalisé se met en place en réaction à un sentiment de persécution généralisé. C'est à partir de sa perception de type paranoïaque que le jeune cherche des solutions pour survivre dans un monde perçu comme hostile. En fonction du caractère plus ou moins anxieux de l'adolescent, ces solutions iront de la rupture sociale au départ pour rejoindre Daesh.

Pendant cette étape de rupture avec la culture, le lexique employé par les radicaux relève de deux registres, le premier de type conspirationniste et le second de type musulman, les deux pouvant s'entremêler. L'interdiction d'images et de musique est justifiée par la présence de symboles subliminaux distillés par les sociétés secrètes. Les radicaux musulmans reprennent la logique des radicaux chrétiens qui imaginaient que certains morceaux des Beatles contenaient des messages de type « *Fuck Jesus* » lorsqu'on les écoutait à l'envers… Toute représentation artistique enverrait un message caché pour détourner le croyant de Dieu, le plus souvent par l'intermédiaire de symboles liés aux francs-maçons et aux Illuminati. Ensuite, une interprétation très littérale et absolue du principe du tawhid (l'unicité de Dieu) permet d'interdire toute représentation humaine ou animale, puisque ces dernières pourraient rappeler les « idoles » de la période préislamique, pour lesquelles les tribus se battaient inlassablement, chacune voulant imposer son propre dieu à l'autre. Toute mixité est également bannie, menant le jeune à l'arrêt d'un certain nombre d'activités sportives. Lorsqu'il poursuit une activité sportive, les adultes chargés d'établir des diagnostics de radicalité doivent vérifier la mixité minimale de cette activité avant d'être rassurés. Il est arrivé que des filles continuent de fréquenter leur cours de gymnastique ou de danse car celui-ci s'avérait strictement féminin, professeur compris. Les radicaux conseillent aux garçons comme aux filles de continuer le sport (escalade, footing, marche rapide, etc.) afin de travailler leur endurance, dans un esprit de préparation au combat. Sur ce point, il faut être vigilant car, si l'interdiction de la mixité fait partie du discours de l'islam radical, tous les jeunes qui refusent la mixité, même si c'est au nom de l'islam, ne sont pas en cours de radicalisation. En effet, des musulmans non radicalisés peuvent refuser une certaine mixité parce qu'elle menacerait leur pudeur. Une jeune fille qui refuse de se mettre en maillot de bain n'est pas pour autant radicalisée... De manière générale, une présomption de début de radicalité ne se repère jamais sur la base d'un seul indicateur, mais bien sur l'accumulation des ruptures, avec les anciens amis, les professeurs, les animateurs socioculturels, les parents, et sur le constat d'un changement brutal de comportement : le jeune refuse la télévision, la radio, la présence de la moindre bouteille d'alcool dans la maison parentale, y compris s'il s'agit d'un parfum... Ces « auto-exclusions » et « exclusions des autres » se doublent d'un isolement du jeune, qui communique frénétiquement sur Internet et croit en l'imminence de la fin du monde[1].

---

1. Les jeunes que nous avons suivis présentaient tous une exception à « la règle » du faisceau des indicateurs d'alerte : celui-ci continuait son travail scolaire, celui-là continuait la musique, l'autre la mixité...

Rupture avec les parents. Le discours radical propose une communauté de substitution, qui donne au jeune l'illusion d'appartenir dorénavant à une filiation perçue comme sacrée. Mis à part au sein de familles radicalisées, rares sont les embrigadés qui continuent à considérer leurs parents et à accepter leur autorité. Même lorsque le père a accompli trois fois le pèlerinage à La Mecque, il est déclaré hypocrite (a trahi le vrai message de l'islam) ou égaré (n'a jamais compris le vrai message de l'islam). Ne parlons pas du père juif, chrétien ou athée. L'ensemble des 1 134 jeunes que notre centre a suivis étaient désaffiliés par le discours radical. Tous avaient le sentiment d'appartenir à un nouveau groupe sacré supérieur détenant la vérité et témoignaient que leurs « nouveaux frères et sœurs » étaient plus importants à leurs yeux que leurs frères et sœurs biologiques. Ensuite, les rabatteurs effacent les repères mémoriels, éducatifs et affectifs de l'histoire familiale. C'est pour cette raison que les familles ont le sentiment de « perdre » leur enfant : c'est lui sans être lui, il est là sans être là…

Les recruteurs préparent la séparation familiale avec un certain degré de perversité. Ils savent que c'est une rupture plus délicate que les autres. Leurs vidéos préviennent le jeune : le diable va se servir de son attachement à ses parents pour l'empêcher de réussir sa mission divine. Le discours lui donne l'illusion que c'est à lui de décider : s'il a peur de quitter sa mère, c'est qu'il n'est pas vraiment élu… Les recruteurs lui font également croire que son engagement dans le djihadisme lui permettra d'intercéder auprès de Dieu pour sauver 70 personnes de sa famille, non-musulmans ou égarés. Au fond, la séparation n'est donc que provisoire : bientôt, ses parents seront fiers de lui, quand ils le rejoindront au paradis...

La proposition d'appartenir à une nouvelle communauté de substitution fonctionne sur différents profils de jeunes. Certains nourrissent déjà une relation conflictuelle avec leurs parents. D'autres ont grandi dans un climat familial insécurisant ou insatisfaisant. Leur attirance pour un nouveau groupe qui va les aimer éternellement (puisque lié à Dieu) s'inscrit dans cette vulnérabilité. Mais il n'est pas rare que le discours radical arrive aussi à désaffilier des jeunes inscrits dans des relations harmonieuses, voire fusionnelles, avec leurs parents. L'amour, la sécurité psychique et matérielle au sein de la famille ne suffisent malheureusement pas à protéger l'enfant de l'embrigadement radical. Dans ce cas-là, les recruteurs vont même se servir de ce vécu pour culpabiliser le jeune et l'obliger à s'engager. De nombreuses lettres d'adieu[1] commencent par : « Étant donné que j'ai grandi avec une petite cuillère en argent dans la bouche et que j'ai reçu tout l'amour du monde [...], c'est ma mission de me sacrifier pour les autres... » On retrouve ici le concept déjà évoqué de « la mort qui fait lien ».

Le mythe qui correspond au profil du jeune

Contrairement à l'époque où Al-Qaïda faisait référence, Daesh possède un territoire qu'il souhaite

---

1. De nombreux jeunes sont partis rejoindre Daesh en laissant des lettres d'adieu à leurs parents.

peupler. Pour toucher un public élargi, il adapte ses discours. Les hommes musulmans ne sont plus sa seule cible. Les femmes et les non-musulmans sont aussi visés, ce qui demande un aménagement des techniques d'embrigadement. On assiste à une véritable individualisation du recrutement français. C'est pour cette raison que nous parlons de « mutation du discours djihadiste » : l'observation du parcours de nos jeunes montre qu'il existe une véritable adaptation du discours djihadiste aux aspirations cognitives et émotionnelles de chacun. Les rabatteurs proposent plusieurs motivations en fonction des différents profils psychologiques qu'ils rencontrent.

Nous avons réalisé une analyse thématique de ces différentes motivations à partir de l'étude des conversations de nos jeunes avec leurs recruteurs. Sept motifs d'engagement sont apparus : la recherche d'un monde meilleur, l'humanitaire, le sacrifice pour sauver sa famille de l'enfer, le combat contre les soldats de Bachar Al-Assad, la régénération du monde, la recherche de la pureté en se protégeant de ses pulsions et le « mariage global ». Nous avons rebaptisé « mythes » ces sept motifs d'engagement, pour signifier l'ensemble des raisons inconscientes (arguments implicites issus de l'analyse thématique) et conscientes (arguments explicites invoqués) qui le motivent. C'est aussi une manière de ne pas valider les motifs proposés par les djihadistes.

Le premier motif d'engagement : la recherche d'un monde meilleur ou le mythe de « Daeshland »

De nombreux jeunes évoquent leur envie de « faire la hijra » pour justifier la décision de partir en Irak ou en Syrie. Si l'on s'en tient à leurs déclarations, une fois qu'ils sont là-bas, on pourrait croire qu'ils ne sont partis que pour des raisons religieuses. En effet, le concept musulman de hijra renvoie à l'émigration du Prophète, lorsqu'il fuyait les persécutions religieuses. Les recruteurs insistent sur le fait que tous les musulmans sont persécutés, en Occident en général et en France en particulier. Leurs vidéos mettent en exergue les discriminations liées à l'islam et des extraits de débats sur l'interdiction du foulard à l'université ou pour les mères qui accompagnent des sorties scolaires. Certaines ajoutent des scènes de persécution de musulmans dans d'autres pays. Dans ces montages, on retrouve toujours un mélange de registres : science et pensée magique, fait historique et propos politique, information et désinformation… Le discours s'appuie sur un ensemble de théories et de traditions si vaste que chacun y retrouve forcément un élément de sa propre pensée. Une fois que le sentiment de persécution est exacerbé, la fuite apparaît comme la seule solution pour se protéger. Tous les jeunes en témoignent : « Je n'arrivais même plus à respirer tellement j'avais le sentiment que la France était un sale pays… » ; « C'était une obsession : je devais fuir. Mon cerveau était bloqué là-dessus. Tous les moyens étaient bons du moment que je me sauvais » ; « En attendant d'être à l'abri, j'évitais tout contact. Je ne supportais plus rien : les gens, les paysages, les odeurs… Mon ennemi était global ».

Mais contrairement aux mouvements piétistes, les recruteurs djihadistes rajoutent que, pour faire la hijra, il faut d'abord faire le djihad, puisque aucun pays n'est « vraiment musulman ». En effet, ils considèrent que tous les pays musulmans sont achetés et pervertis par l'Occident. Il faut donc en construire un nouveau, ou plutôt en conquérir un nouveau, où seule la loi d'Allah commandera. In fine, les recruteurs présentent le djihad comme la condition nécessaire à la hijra. Il faut prendre les armes pour inventer un nouveau monde musulman où l'on ne sera pas persécuté. Sébastien raconte comment il a basculé du désir de se protéger vers celui de tuer : « En fait, on te fait monter la pression. Quand tu réalises qu'il y a un complot contre l'islam, tu as vraiment la trouille. L'étape suivante consiste à chercher où tu peux te réfugier. Et quand ils te prouvent que les musulmans sont persécutés dans le monde entier, c'est carrément la panique. Personne n'a besoin de te mettre la haine, ça vient tout seul. Tu passes de la peur au désir de vengeance. Tu es déterminé à construire un monde musulman, à n'importe quel prix. Et tu prends tes gosses avec toi pour rejoindre l'Irak, persuadé que c'est pour leur bien… »

La hijra est donc la raison explicite évoquée par les jeunes une fois que leur processus cognitif est transformé. Mais, quand on creuse un peu, on s'aperçoit que ceux qui sont attirés par ce motif de départ partagent un profil commun. Ce sont des jeunes hypersensibles qui ont toujours rêvé d'un monde parfait. Au-delà de la notion de hijra, les recruteurs leur font croire qu'ils construisent une société idéale, où régneront égalité, fraternité et solidarité. C'est avant tout ce projet qui les attire implicitement. Ils partent pour réaliser une utopie que nous appelons le mythe de « Daeshland ». Mis à part la liberté, les valeurs avancées ressemblent à s'y méprendre à celles de la République française. Les vidéos mobilisées pour embrigader les jeunes derrière ce mythe de « Daeshland » montrent des hommes de toutes origines qui partagent le même repas et s'entraident. Mais à leurs yeux, seule la soumission à la loi divine peut permettre de construire une organisation sociale où ces valeurs seront appliquées. On peut légitimement se demander si la grande proportion de jeunes Français chez Daesh n'est pas liée à la difficulté de la République à tenir ses promesses. Cela paraît paradoxal, mais de nombreux djihadistes ont cru aux valeurs républicaines, ou sont les petits frères de ceux qui y ont cru. Ceux qui sont d'origine maghrébine et viennent d'États souvent corrompus ont carrément surinvesti la promesse d'égalité de la République. Et le décalage entre la théorie et la pratique, jamais reconnu par les élus, a été d'autant plus violent. C'est la différence entre la France et les pays de type communautariste comme l'Angleterre : quand on promet une société de mélange où tous seront égaux, les déceptions sont d'autant plus difficiles à gérer. Les djihadistes ont appris à l'école que chaque Français a les mêmes droits, les mêmes devoirs et les mêmes chances. Pourtant, dans leur immeuble délabré, la moitié des voisins est au chômage. Comme par hasard, ils sont issus de l'immigration. Au lieu de présenter l'égalité comme un objectif, les maîtres d'école continuent d'en parler comme d'une évidence. Lorsque ces jeunes se rendent à Paris, ils sont regardés comme des étrangers. Pourtant, ils ont longtemps exprimé qu'ils se sentent français et souffrent d'être assignés à une étrangéité dans laquelle ils ne se reconnaissent pas. Ils pensent en français, aiment en français, rêvent en français. Quand Daesh leur propose un projet de justice sociale et d'égalité en leur expliquant que seule la loi d'Allah le permet, ils sont déjà à moitié convaincus.

De nombreuses vidéos de propagande mêlent des images d'enfants heureux tenant un ballon sur des manèges à des scènes de distribution de riz à des pauvres en haillons... Cela explique que certaines mères de famille cherchent à rejoindre Daesh avec leurs enfants. C'est le cas de Sofia, qui est partie enceinte avec deux enfants en bas âge. Elle est alors persuadée que la société construite par Daesh repose sur le partage : nourriture, chauffage et soins gratuits. « Je pensais que là-bas personne ne pouvait être égoïste ou méchant, puisqu'on était tous soumis à Dieu. Avoir peur de Dieu, ça signifie ne jamais faire le mal. Je partais vraiment soulagée. J'imaginais un monde de solidarité, style : "Tiens, ton fils n'a pas de pull, prends celui de mon fils puisqu'il en a deux." En plus, des frères m'ont envoyé de l'argent pour mon voyage. Cela prouvait leur solidarité... »

Cette utopie d'un monde parfait est reliée à l'islam. Inès, 17 ans, s'imagine « en haut d'une montagne, proche de Dieu, en train de lire [son] Coran avec une petite brise dans [son] foulard ». Dans son imaginaire, c'est parce que les habitants de Daesh sont de rigoureux pratiquants que la société qu'ils vont construire sera juste. On retrouve le surinvestissement de l'islam des Frères musulmans (avant qu'ils n'évoluent), qui part du principe que la religion peut gérer tous les domaines de la vie parce qu'elle a réponse à tout[1]. La religion est la voie adoptée pour aborder toutes les dimensions de la

---

1. Dounia Bouzar, *Monsieur Islam n'existe pas. Pour une désislamisation des débats*, Hachette Littératures, 2004.

vie. L'islam reste la source exclusive à partir de laquelle tout est conçu : l'éducation, les soins, l'organisation sociale, les lois… Il y a ici un refus de reconnaître une réalité produite qui ne s'inscrit pas dans l'ordre de la Vérité divine absolue. Aucune valeur n'est considérée comme le fruit de l'expérience humaine. C'est la question du sujet : entre les textes sacrés et la société, y a-t-il une place pour les individus et quelle est-elle ? Entre la parole divine et l'action quotidienne qui s'en inspire, comment se construisent les hommes ? Le réel doit correspondre au texte sacré, comme un décalque. Ce type d'énoncé conduit à une confusion symbolique dans laquelle l'islam est relié à un système politique. En présentant une image essentialiste de l'islam, dont on ne pourrait déconstruire les présupposés, on contribue à embrouiller le débat sur ces questions. Selon ces interprétations, faire de la politique devient une preuve de foi. Chez Daesh, faire de la politique passe par le meurtre de ceux qui pensent différemment… Couper des têtes devient une preuve de foi.

Le motif d'engagement de l'humanitaire ou le mythe de mère Teresa

« Daeshland » n'est pas le seul mythe proposé aux jeunes pour rejoindre Daesh. Nous appelons le deuxième mythe mère Teresa : « Sauver les enfants gazés par Bachar Al-Assad » est une des raisons explicites évoquées par ces jeunes. On s'aperçoit qu'ils étaient tous orientés vers un projet professionnel, un métier relatif au don, altruiste (infirmiers, assistants sociaux, médecins, volontaires, etc.) et avaient besoin d'« être utiles ». Souvent, ils ont « affiché » cet engagement humaniste sur leur compte Twitter ou Facebook, en postant une image de leur dernier stage d'été dans un camp humanitaire ou en énonçant leur domaine d'études. On peut se demander si les recruteurs ne les repèrent pas en utilisant des mots-clés. Ils leur font visionner des vidéos insupportables qui montrent des enfants gazés par le dictateur. Parfois, ils ajoutent *Palestine mon amour*, chantée par une petite fille dans la rue jusqu'à ce qu'une bombe lui tombe dessus.

Les vidéos qui font croire aux jeunes qu'ils vont sauver les Syriens en s'engageant ont été très efficaces. Entre deux enfants agonisants, une voix demande au jeune comment il peut rester dans son confort occidental. Vite, il faut partir immédiatement ! Émilie témoigne : « Ils m'expliquaient que mes études d'infirmière duraient longtemps en France parce que c'était un moyen de me soutirer de l'argent, mais qu'en vérité eux me formeraient en trois mois. Je devais me décider rapidement, car sinon une autre sœur profiterait de cette opportunité. »

Les meilleures vidéos ont été fabriquées par Omar Omsen, un ancien bandit reconverti dans le kidnapping d'adolescents pour la filière d'Al-Nosra. Il utilisait de vraies vidéos humanitaires et en mixait des extraits avec ses commentaires. L'image d'un père qui ne veut pas lâcher le corps de sa petite fille touchée par une bombe a fait pleurer quantité de jeunes, résolument décidés à s'engager pour empêcher ces massacres. Quand les djihadistes de Daesh se sont aperçus de l'efficacité de ces vidéos, ils se sont également filmés en train de distribuer du riz et ont communiqué sur des motifs humanitaires, parallèlement à la propagande classique basée sur la conquête et la toute-puissance…

Les jeunes qui sont partis pour ce motif n'ont pas mis longtemps à comprendre leur erreur. Arrivés sur place, ils réalisent rapidement que la nourriture et le chauffage ne se partagent qu'avec les Syriens qui font allégeance à Daesh. Les autres sont purement et simplement tués. Quand ils tentent de s'échapper et de rentrer en France, les hommes sont fusillés et les femmes, séquestrées. Les communications téléphoniques, lorsqu'elles existent encore, sont surveillées. Évidemment, les femmes prennent conscience qu'elles n'auront jamais l'autorisation de travailler. Elles sont enfermées dès leur arrivée dans un maqar, sorte de maison fermée tenue par une femme, où elles se disputent l'eau et la nourriture. La seule façon de sortir du maqar est bien d'épouser un des djihadistes venant chercher une épouse, et d'accepter de lui faire un enfant tous les ans, afin de grossir les rangs des soldats.

Le motif d'engagement du sacrifice pour sauver sa famille de l'enfer ou le mythe du sauveur

Il y a aussi ce que l'on appelle le mythe du sauveur : « Mourir sur la terre bénie car c'est bientôt la fin du monde » est la raison explicite évoquée par les jeunes une fois que leur processus cognitif est transformé. Ils adoptent le discours djihadiste qui considère que tous les signes de la fin des temps sont là et que mourir sur la terre du Sham[1] (qui comprend notam-

---

1. Le Sham est la terre du Levant, comprenant la Syrie et l'Irak. Pour les musulmans, la bataille finale qui précédera la fin du monde aura lieu à cet endroit. C'est aussi là qu'apparaîtra le Mehdi, dernier successeur du Prophète, pour combattre les forces du mal.

ment la Syrie et l'Irak) constitue l'assurance d'aller au paradis. Mais lors des suivis en déradicalisation, on s'aperçoit que les jeunes pris à l'hameçon de ce mythe ont été récemment confrontés à la disparition soudaine d'un proche (décès par accident, maladies graves fulgurantes/effrayantes). En mourant, ils espèrent « intercéder » pour ce proche qu'ils considèrent comme mécréant ou musulman égaré. Parfois, ils veulent « le rejoindre ». Le sentiment suicidaire n'est jamais loin pour ces jeunes qui cherchent un sens à leur vie. Je pense à Inès, à peine âgée de 12 ans, qui a tenté de partir trois fois pour la Syrie, persuadée qu'elle pourrait retrouver au paradis son frère décédé si elle y mourait. Les conversations avec ses recruteurs étaient terribles à lire car ces derniers mettaient beaucoup d'énergie à lui promettre la mort dans les quarante-huit heures. La petite doutait de sa capacité physique à porter une kalachnikov, eu égard à son faible poids, et les recruteurs juraient qu'elle aurait droit à une ccinture d'explosifs dès son arrivée. La police a récupéré Inès trois fois de suite, à des frontières différentes, direction Daesh.

Le jeune Brian a aussi été embrigadé par le biais de ce mythe. Issu d'une famille catholique, il était très proche de son père, qui constituait un modèle identificatoire important. Père et fils couraient ensemble chaque matin depuis des années, jusqu'au jour où le père fait un nouvel infarctus. Hospitalisation en urgence orchestrée par le fils, mobilisation de la famille pour soutenir le père, stabilisation… et au premier footing l'année suivante, le père subit une autre crise cardiaque. C'est alors que Brian commence à s'intéresser à la vie après la mort. Bien entendu, il va sur Internet. Ce sont des vidéos musulmanes qui le rassurent le mieux, explique-t-il deux ans plus tard, en séance de déradicalisation. Elles calment son angoisse parce qu'elles décrivent un paradis enchanteur. Pour y accéder, il faut respecter de multiples interdits. Progressivement, il enchaîne les visionnages dans lesquels des cheikhs (savants religieux) sanglotent, frôlant l'agonie à imaginer les tortures qui seront infligées à tous ceux qui ne sont pas « véridiques ». Celui qui prend conscience de cette Vérité doit se convertir, si ce n'est pas déjà fait, et mourir au Sham pour intercéder auprès de Dieu pour ceux qu'il aime. Il a la responsabilité de les sauver malgré eux. Ils se retrouveront tous au paradis, car la fin du monde est pour bientôt. Il faut partir immédiatement, ne pas hésiter, faire ses bagages tout de suite… Quelques mois plus tard, Brian développe une haine de tous ceux qui ne sont pas « véridiques », il est prêt à les tuer, non pas pour les sauver mais pour « régénérer le monde ».

Ce motif d'engagement est souvent croisé avec l'éminence de la fin du monde, dont la preuve tiendrait dans la concordance de plusieurs signes apocalyptiques annonciateurs, par exemple l'absence d'intervention de la communauté internationale quand Bachar Al-Assad a gazé son peuple.

La raison pour laquelle on doit sacrifier sa vie est adaptée à la situation sociale et culturelle des différents pays. Sauver sa famille « non véridique » est réservé aux jeunes ayant grandi dans une culture familiale nucléaire, dans laquelle les liens entre enfants et parents sont fusionnels. La promesse de rejoindre ses parents égarés ou non musulmans au paradis apparaît comme une compensation pour l'abandon provoqué par le départ pour Daesh. Finalement, la souffrance de la séparation dans ce bas monde est compensée par la promesse des retrouvailles au paradis, pour toujours. C'est un mal pour un bien, réservé aux endurcis qui ont vraiment la foi... Les recruteurs l'ont bien compris et finement présenté dans leurs vidéos. Ce motif d'engagement est typiquement français, adapté à l'inconscient d'une famille nucléaire dont les membres sont « emmêlés[1] ». Dans le contexte social de frustration sexuelle du Maghreb, les recruteurs insistent sur un aspect beaucoup plus traditionnel : mourir au djihad pour trouver 72 vierges[2] au paradis.

Le motif d'engagement de lutte contre le dictateur ou le mythe de Lancelot

Une vidéo spécifique a été réalisée par les recruteurs pour toucher les jeunes qui se sentent une âme de chevalier, reprenant la musique du film *Pirates des Caraïbes* et mettant en scène le Petit Prince... « Tuer les soldats de l'armée de Bachar Al-Assad » est la raison explicite évoquée par les jeunes une fois que leur processus cognitif est transformé, mais avant (pendant le processus de radicalisation) et après (pendant le processus de déradicalisation), on s'aperçoit que ces jeunes ont souvent été attirés par une communauté d'hommes

---

1. Serge Hefez, *Quand la famille s'emmêle*, Hachette Littératures, 2004.
2. Certains versets du Coran et certains hadiths (tradition) évoquent la présence d'« êtres purs » au paradis et une croyance traditionnelle traduit ces évocations par des « vierges qui attendraient les hommes du paradis », croyance reprise par les djihadistes pour encourager les combattants à mourir. On évoque le chiffre de 70 ou 72 pour compter ces « houris » (http://oumma.com/14876/houris-hommes-12).

aventuriers ou « têtes brûlées ». Ils veulent confronter leur courage, savoir s'ils sont capables, s'ils sont des hommes… Il y a souvent une dimension de vengeance du faible sur le fort, pour retrouver sa dignité. Les vidéos et les discours qui accrochent les jeunes sur ce mythe font naître le sentiment de s'offrir en sacrifice pour l'histoire et la postérité, suppléant ainsi la passivité de la communauté internationale face aux enfants gazés par le dictateur syrien. Mais « mourir pour la cause » apparaît comme un prétexte. À écouter les témoignages des jeunes embrigadés sur la base de cet idéal, on a plus l'impression que leur « sacrifice de soi » est lié à leur tribu. Le Lancelot ne veut pas mourir pour sauver sa famille mais sa nouvelle communauté. Comme le rappelle Scott Atran, « dans une tribu, les liens sont si forts que le prix de la vie et de la mort n'est plus le même[1] ». Il évoque les soldats capables de se jeter sous un char avec une grenade, « non dans l'idée qu'ils vont faire gagner la guerre à leur patrie, non pour la gloire, non plus pour la médaille, mais pour leur groupe d'amis, qui revêt à certains égards la valeur d'une famille[2] ». De nombreux jeunes de ce type avaient auparavant postulé dans l'armée ou la gendarmerie et ont été refoulés au moment des tests psychologiques…

Le motif d'engagement de la régénération du monde ou le mythe de Zeus

Celui qui est pris à l'hameçon du mythe de Zeus a un profil différent, même s'il part aussi pour combattre.

---

1. Scott Atran, « Terroristes en quête de compassion », *art. cit.*
2. *Ibid.*

« Imposer au monde entier la charia » comme seul moyen de sortir de la corruption, voilà la raison explicite évoquée par les jeunes une fois que leur processus cognitif est transformé. Avant et après la transformation, on s'aperçoit que cette raison est invoquée principalement par des jeunes dépourvus de limites, depuis longtemps adeptes des conduites à risque de type ordalique (automobile, sexe non protégé, toxicomanie, alcoolisme, etc.), qui sont en recherche de toute-puissance. La question principale qu'ils se posent est : Ça passe ou ça casse ? Si ça passe, c'est qu'ils sont immortels et tout-puissants. Ils ne se soumettent pas à Dieu mais s'approprient son autorité en leur nom propre pour commander les autres. De nombreux éducateurs comparent cette figure spécifique de « jeunes radicaux » aux « jeunes toxicomanes » : pas d'intégration de la loi au sens symbolique du terme, recherche du plaisir immédiat, de l'extase, absence fréquente de figure paternelle structurante[1]. Le discours djihadiste donne une justification à leur recherche de toute-puissance. Certaines vidéos mettent en scène Daesh qui tue à bout portant des non-soumis puis les ressuscite, puis les tue à nouveau. Fethi Benslama parle de délinquants prêts à anoblir leurs pulsions antisociales en en faisant des actes héroïques au service d'une cause suprême : « La figure du surmusulman attire les délinquants ou ceux qui aspirent à le devenir ; ils se convertissent par désir d'être des hors-la-loi au nom de la loi, une loi supposée au-dessus de toutes les lois, à travers

---

1. Dounia Bouzar, *Quelle éducation face au radicalisme religieux ?*, *op. cit.*

laquelle ils anoblissent leurs tendances antisociales, sacralisent leurs pulsions meurtrières. Le surmusulman recherche une jouissance que l'on pourrait appeler l'inceste homme-Dieu, lorsqu'un humain prétend être dans la confusion avec son créateur supposé au point de pouvoir agir en son nom, devenir ses lèvres et ses mains[1]. » Un des jeunes que nous avons suivis a quitté le groupe des Frères musulmans, parce qu'il considérait qu'ils ne détenaient pas la Vérité, pour celui des salafistes, puis il est passé des salafistes aux djihadistes pour la même raison. À la fin, il a fait le deuil de l'utopie présentée par les djihadistes en constatant que ces derniers ne possédaient pas non plus… la Vérité ! Et il a créé un nouveau groupe avec quatre autres « frères », qui estime être « au-dessus » de Daesh et d'Al-Qaida. Il a fait le deuil des groupes mais pas celui de son motif d'engagement ! Apparaissait alors clairement sa volonté de rechercher la toute-puissance…

Le motif d'engagement de la recherche de la pureté ou le mythe de la forteresse

Ce motif d'engagement nous est apparu tardivement. Nous avons mis longtemps à l'identifier tant il paraissait en décalage avec la représentation que l'on a des jeunes « daeshisés ». Nous l'avons conceptualisé devant l'évidence : de nombreux jeunes entrent dans l'islam radical pour trouver un cadre qui contienne leurs pulsions sexuelles « débordantes ». L'étude de l'historique sur Internet de ces jeunes est sans appel : on peut trouver d'affilée trois vidéos pornographiques,

---

1. Fethi Benslama, *Un furieux désir de sacrifice*, *op. cit.*, p. 177.

une vidéo de martyre, puis encore trois vidéos porno-graphiques, et ainsi de suite... La pornographie peut concerner des relations hétérosexuelles ou homo-sexuelles. Parfois, nous avons même découvert des vidéos pédophiles au sein d'un historique internet où prédominent des sermons de prédicateurs radicaux interdisant toute sexualité. Nous avons attendu les pre-mières séances de déradicalisation de ces jeunes pour valider notre hypothèse. Mais effectivement, pendant leur rétroanalyse, ils disent être entrés dans cette idéo-logie parce qu'elle leur apportait des règles strictes et absolues sur tout : leur façon de manger, de marcher, de regarder, de dormir... Ils avaient besoin d'un cadre normatif très strict qui allait les contenir.

La première jeune fille que nous avons suivie et qui appartenait à ce registre arrivait en séance habillée de façon très sexuée : pantalon de cuir et décolleté pro-fond. Ses parents, non musulmans, ne cachaient pas qu'ils avaient du mal à contrôler ses nombreuses sor-ties et fréquentations masculines. Sa vie sexuelle avait commencé tôt, vers 14 ans, envahissant les autres domaines de sa vie sociale. Nous savions qu'elle n'était pas dans la dissimulation car elle répétait de manière obsessionnelle que personne ne pourrait l'empêcher de partir pour Daesh. C'était à la fois son objectif et son rêve. Le paradoxe était grand : la jeune fille avait a priori une vie sexuelle intense et désirait partir dans un espace où elle serait complètement désexuée. Elle a rapidement exprimé sa vision des choses : Daesh allait l'obliger à devenir la jeune femme qu'elle aimerait être, une sainte. Convertie, elle mémorisait tous les jours les sermons des imams les plus durs sur les interdits de mixité et a fortiori d'expression de féminité. Entendre des propos sexistes diabolisant « la femme » dans la bouche d'une jeune qui affichait exactement tous les interdits qu'elle énonçait relevait du surréalisme. Son historique internet était composé d'avis théologiques nommés « fatwas du mariage[1] » les plus radicaux possibles : il était haram de faire du bruit en marchant (talons), de bouger son corps, de parler dans la rue, de sentir bon, de porter des bijoux, évidemment de montrer n'importe quelle partie du corps, même les pieds… Nous avons retrouvé le même fonctionnement chez des garçons, qui ont fini par nous confier qu'ils étaient auparavant « obsédés par les filles » ou « attirés par d'autres garçons ». Quelques jeunes de ce profil ont même évoqué des vidéos pédophiles.

L'islam leur a procuré un « havre de paix » en les entourant d'interdits. Au fond, l'offre radicale musulmane leur propose un cadre normatif rigide qui les sécurise et constitue l'une des raisons de leur conversion : de nombreux garçons expliquent être soulagés par l'interdiction totale de mixité.

Mais une question taraudait notre équipe : Pourquoi cette attirance pour les vidéos de martyres ? La réponse est sortie de la bouche des jeunes concernés : rapidement, ils s'aperçoivent que l'entrée dans l'idéologie radicale couplée à leur nouvelle pratique religieuse ne suffit pas à chasser leurs pulsions sexuelles. À leurs

---

1. Mathieu Guidère fait remarquer que les avis théologiques sur la sexualité ne sont jamais qualifiés ainsi mais classés à la rubrique « fatwas du mariage », in *Sexe et charia*, Éditions du Rocher, 2014, p. 108.

yeux, le strict respect des rituels les mènerait au respect des interdits, mais ils n'arrivent pas à les imposer à leur corps. Le décalage s'accroît entre ce qu'ils voulaient être et ce qu'ils sont, avec une énorme culpabilité en prime, car l'idéologie de l'islam radical exige une mobilisation totale du corps. L'anthropologue Mary Douglas écrit : « Le modèle des entrées et sorties du corps humain est doublement apte à symboliser leur peur, celle d'une minorité au sein d'une société plus vaste. En général, quand les rites traduisent une anxiété à l'égard des orifices corporels, la contrepartie sociologique de cette anxiété est le souci de défendre l'unité politique et culturelle d'un groupe minoritaire[1]. » Au fond, ériger son corps en forteresse est nécessaire pour ériger son groupe en forteresse. La culpabilité, si on laisse passer l'altérité, est énorme dans ce contexte où, comme on l'a vu précédemment, c'est la fusion du groupe entre membres identiques qui fait sa force. Se sentant incapables d'avoir ce qu'ils appellent un « bon comportement » sur terre (se fermer aux « autres »), ces jeunes décident donc d'abréger ce « passage » en sacrifiant leur corps. Entretemps, les recruteurs leur ont appris que tuer cet autre (le mécréant) garantissait l'accès au paradis. Mourir en martyr procure donc une sorte de raccourci pour l'au-delà, avec la garantie du paradis. C'est une délivrance du sujet avec un projet d'existence future qui inclura ce qui est interdit aujourd'hui.

Fethi Benslama fait remarquer que, normalement, dans l'histoire de l'islam, le combattant cherche à rester en vie pour continuer le combat (et tombe en martyr

---

1. Mary Douglas, *De la souillure*, Maspero, 1971, p. 139.

s'il est accidentellement tué), alors que les djihadistes cherchent la mort. En effet, puisqu'ils n'arrivent pas à s'ériger en forteresses en fermant leurs points vulnérables (laissant l'altérité et le chaos envahir leur corps et donc leur nouveau groupe fusionnel), seule la mort leur permettra de rester au sein des « véridiques ».

On s'aperçoit que ces jeunes rêvaient de devenir des personnes pures qui résistent et se fortifient contre les tentations de la *dunya* (« vie ici-bas »). C'est pour cette raison que nous nommons ce motif d'engagement le mythe de la forteresse. L'islam radical a pour objectif inconscient de transformer leur corps en forteresse contre les pensées intrusives à thématique sexuelle et l'investissement des rituels religieux peut être interprété comme un toc qui présente une fonction de réassurance pour s'éloigner de ses pulsions.

Le motif d'engagement du mariage global ou le mythe de la Belle au bois dormant

Nous avons nommé le dernier mythe présenté aux filles par les recruteurs « la Belle au bois dormant » car « trouver un mari qui ne les abandonnera jamais » est la raison explicite évoquée par les jeunes filles une fois que leur processus cognitif est transformé. On s'aperçoit qu'elles recherchaient toutes une protection car elles se sentaient très vulnérables, psychiquement et physiquement, à cause de leurs histoires.

Les rabatteurs arrivent à leur donner l'illusion que le monde de Daesh respecte les femmes. Le sitar (qui couvre même les yeux) est présenté comme l'écrin qui protège le diamant, une enveloppe corporelle tellement efficace qu'elle en devient une véritable armure… Le monde sans mixité est présenté comme le modèle de protection le plus adapté contre la perversité des hommes. Épouser un héros, qui se sacrifie pour sauver les enfants gazés par Bachar Al-Assad, vient entériner le sentiment d'invulnérabilité. Certaines de ces jeunes filles ont subi un abus sexuel ou une tentative d'abus sexuel dans leur histoire antérieure, non dit et non traité. Le mariage est présenté comme *la* solution à la globalité de leurs problèmes.

Quand elle avait 12 ans, Aline a été coincée par trois garçons dans les toilettes du collège. Ils l'ont « touchée » et elle n'en a jamais parlé à personne car son père venait de faire une crise cardiaque. Toute la famille et les enseignants étaient mobilisés autour de la santé du père, et Aline a refoulé son agression, ne se donnant pas le droit de s'apitoyer sur son sort. Deux ans ont passé avant qu'elle finisse par en parler à sa mère. Trois ans plus tard, Aline a 17 ans lorsqu'on la prend en charge. Elle est niqabée et gantée. Prise à l'hameçon du mythe de la Belle au bois dormant, elle est complètement sous l'emprise du jeune homme qu'elle a rencontré par Internet et qui lui parle jour et nuit. Seule une discussion avec une rescapée de Daesh arrivera à la faire douter de la réalité de son projet de mariage. Cette dernière croyait aussi rejoindre « l'homme idéal » en Syrie. Elle était partie en voiture avec un couple d'adultes, puis s'était retrouvée enfermée dans le fameux maqar, attendant désespérément que son prince vienne la chercher. Il lui a fallu trois mois pour comprendre que celui avec qui elle parlait habitait en vérité la Tchétchénie. C'était un recruteur, déjà marié avec quatre épouses, payé par Daesh pour rapatrier les jeunes filles en Syrie parce qu'il avait les yeux verts… Coincée, elle a accepté d'épouser un inconnu de vingt ans son aîné, afin de pouvoir se restaurer et se doucher. Par chance, cet homme a rapidement voulu fuir Daesh et l'a gardée avec lui pendant sa fuite. De Turquie, elle a réussi à regagner le consulat français et attend son jugement pour « participation à une entreprise terroriste ». En attendant, elle vient à nos séances pour que « d'autres jeunes filles éperdues d'amour ne vivent pas ce qu'[elle a] vécu ». En écoutant son témoignage, Aline prend conscience qu'elle ne connaît pas son interlocuteur virtuel. Le deuil du prince barbu sera long, mais la « désintoxication niqabienne » encore plus. Pendant de nombreux mois, Aline est sujette à des crises de panique dès qu'elle tente de remplacer son niqab par un jilbab (même vêtement sauf qu'on perçoit un peu de son visage). Passer ensuite du jilbab au hijab (simple foulard qui ne couvre pas le corps mais juste les cheveux) prend encore de nombreux mois. Aline doit réapprendre à se protéger autrement que par ce grand voile noir qui occulte ses contours identitaires et dissout son individualité dans le groupe. À chaque angoisse, sa mère la retrouve enroulée en position fœtale dans son drap, dont elle se recouvre entièrement…

Parallèlement à ces sept mythes, nous avons identifié un sous-groupe transversal de jeunes qui pourraient présenter des tendances suicidaires préalablement à l'engagement radical. Ces jeunes possiblement suicidaires ont comme point commun le fait d'osciller entre plusieurs motifs d'engagement, une hésitation en soi symptomatique de cette catégorie de jeunes. Leur motif implicite pourrait être simplement la volonté de se suicider, qui trouve un cadre propice dans l'engagement radical. En effet, le discours de l'islam radical leur fournit un scénario de suicide : où, quand, comment, pourquoi, qui alimente la crise suicidaire aiguë, avec en plus la possibilité de donner un sens à sa mort et une promesse de vie meilleure dans l'au-delà. La demande explicite concerne souvent un des sept autres mythes, mais la demande implicite est bien la mort, comme ils finissent par l'avouer au fur et à mesure des séances. Au fond, tel jeune homme voulait en finir, parce que la vie est trop dure, mais comme le suicide est interdit quand on croit en Dieu, il se sentait plus ou moins obligé de passer par un autre motif d'engagement. Il n'est pas obsédé par l'idée de sauver sa famille comme le sauveur ou de sauver son groupe de héros comme Lancelot, il veut simplement arrêter de vivre. Une jeune fille correspondant à ce sous-groupe a ainsi expliqué qu'elle avait considéré la proposition de ceinture explosive comme « une opportunité ». Les jeunes pris en charge par le CPDSI et correspondant à ce profil finissent par prendre conscience et par verbaliser leur volonté de mourir au moment de leur déradicalisation. Nous repérons ces parasuicidaires à l'instabilité ou à la multiplicité de leurs motifs d'engagement.

Au fond, la mort n'est jamais loin de chacun des jeunes : « Daeshland » et la Belle au bois dormant partent pour une demi-mort, l'un pour fuir le monde réel et l'autre pour se sentir protégée ; le Sauveur et le Chevalier veulent mourir, l'un pour sauver sa famille mécréante et l'autre pour sauver son groupe de frères élus ; Zeus veut mourir pour prendre la place de Dieu, la Forteresse veut mourir pour échapper à ses pulsions et le Suicidé veut mourir pour en finir, sauf qu'il ne peut pas le dire ainsi. Comme l'indique Fethi Benslama, « s'il y a une folie dans cette idéologie, comme dans toute idéologie à visée auto-immunitaire, c'est qu'elle constitue le symptôme social d'une grave pathologie de l'idéal du moi […]. La fonction sur-moïque protège et détruit en même temps. Elle est auto-immune au sens où la protection devient destructrice et la destruction prétend être salvatrice[1] ».

S'il peut y avoir un motif d'engagement plus déterminant que les autres, il convient néanmoins de souligner qu'un jeune peut basculer par le biais de plusieurs motifs. Chez les garçons, Lancelot remporte le plus grand succès. Pour chaque engagement, il y a une rencontre entre les besoins inconscients du jeune, sa recherche d'idéal, et l'offre (le discours qui lui propose une raison de faire le djihad prend tout son sens pour lui). Par exemple, c'est le projet humanitaire qui va être proposé aux jeunes pétris de valeurs humanistes qui se destinaient à un métier « de don » (assistant social, infirmier, etc.), ce sera la vengeance pour les jeunes ayant vécu la stigmatisation et la discrimination, etc. Lors des années précédentes, seuls les jeunes en crise identitaire étaient touchés par le discours radical. C'est ce que nous avons appelé dans nos travaux antérieurs[2] le profil classique : le jeune se sentant de « nulle part », ayant grandi dans les « trous

---

1. Fethi Benslama, *Un furieux désir de sacrifice, op. cit.*
2. Dounia Bouzar, *Quelle éducation face au radicalisme religieux ?, op. cit*

de mémoire », avec presque toujours un père déchu (alcoolique, au chômage, incarcéré, toxicomane…) ou absent. Ce n'est plus le cas aujourd'hui. La diversité des raisons de faire le djihad permet de toucher des jeunes différents, même si leur point commun reste une certaine vulnérabilité au moment de la rencontre avec l'offre des recruteurs. Se tourner vers un groupe donne une image de soi positive et une force. Surtout si ce groupe défend une idéologie radicale, qui permet à chacun d'avoir un sentiment d'accomplissement, d'être quelqu'un, d'être respecté. Tous s'interrogent sur la frontière entre vie et mort. L'utilisation de la religion permet d'offrir un monde éternel paradisiaque qui n'est jamais loin de chacun des motifs d'engagement. À chaque fois, il s'agit de mourir pour vivre éternellement, soit dans la mémoire de son nouveau groupe, soit dans celle de sa famille. Ce n'est plus l'individu qui compte, mais la vie éternelle. Finalement, en mourant, ces jeunes cherchent à reprendre le contrôle de leur vie.

La double déshumanisation

Normalement, l'esprit humain s'émeut naturellement de la mort. Les recruteurs de Daesh veulent anéantir ce sentiment. On connaît leur fameux slogan : « Nous gagnerons parce que nous aimons la mort plus que vous n'aimez la vie. » Leur objectif est de normaliser la cruauté en bafouant ouvertement les tabous sociaux et les freins moraux qui interdisent le meurtre et la torture. Les vidéos systématisent la barbarie et normalisent les massacres en les présentant comme de simples actes de guerre. C'est pour cette raison que Daesh relève d'une idéologie totalitaire : il tue les gens non pas pour ce qu'ils font mais pour ce qu'ils sont. La mise en scène de la mort permet non seulement de montrer leur toute-puissance mais de bouleverser l'imaginaire des jeunes, en transmettant leur fascination pour la cruauté. En proposant ces spectacles immondes, Daesh impose au jeune internaute de franchir la frontière de ses résistances morales, de les repousser dans le déni et la dissociation. Il regarde comme s'il était ailleurs… La violence constitue quasiment une forme de leur identité et a également comme objectif de dénier l'identité de ceux qui vont la subir. Mais les djihadistes de Daesh ne se contentent pas d'exterminer tous ceux qui ne pensent pas comme eux, ils déshumanisent leurs victimes afin de les considérer comme des choses. Autrement dit, l'« autre » (le chiite, le musulman égaré, le chrétien, le juif, le mécréant…), celui qui ne fait pas partie du groupe, n'est plus considéré comme leur semblable, et tout est permis. C'est pour cette raison que les photos de têtes coupées s'échangent sur Internet comme des images Panini. Les victimes coupées en morceaux sont chosifiées. Plusieurs de nos jeunes sont passés du juge pour enfants (dossier « victime d'embrigadement de type sectaire ») au juge antiterroriste (« apologie du terrorisme » ou « participation à une entreprise individuelle ou collective de terrorisme ») parce qu'ils riaient de ce type de photos. Une mineure a été incarcérée notamment parce qu'elle multipliait les commentaires qui se voulaient humoristiques. Sous la photo d'un corps assis avec sa tête sur les genoux, elle avait écrit : « Il attend le bus le gugus. » Sous une autre représentant des otages exécutés : « Ils n'ont pas la tête sur les épaules les gars. » Cette jeune fille, pourtant embrigadée grâce au mythe de mère Teresa (projet humanitaire) car elle voulait rejoindre Médecins du monde, ne ressent plus rien vis-à-vis des exactions de Daesh. Une autre a cliqué sur « like » sous la photo d'un jeune djihadiste arborant un sourire béat devant son bébé qui apprend à jouer au football avec une tête coupée... C'était pourtant une jeune fille très bien élevée et aimée par des parents équilibrés, sans problème manifeste, investie dans son master d'économie, avant sa rencontre avec un groupe radical. Guetter les émotions provoquées par l'évocation des exactions nous permet d'affiner le diagnostic du niveau de radicalité d'un jeune signalé. Celui qui ne manifeste pas la moindre rougeur sur les joues est au dernier stade du processus... Cela permet aussi de mettre à nu une éventuelle stratégie de dissimulation, car le jeune qui ne ressent plus rien face à la mort des « autres » ne peut pas exprimer une sensation inexistante.

La déshumanisation des victimes est le produit d'un long embrigadement relationnel et idéologique qui peut selon les cas prendre sa source avant la rencontre avec les djihadistes. C'est le produit à la fois de la théorie complotiste et de l'utilisation par les salafistes des versets coraniques qui exhortent à se méfier et se couper des non-musulmans. Percevoir chaque individu comme dangereux mène le jeune à abandonner ses relations humaines, comme nous l'avons montré précédemment. Il appréhende chaque interlocuteur au travers de son filtre subjectif de type paranoïaque et le réduit à la dangerosité supposée qu'il perçoit. Trois étapes s'enchaînent dans la plupart des cas : le passage de la perte de confiance à la rupture relationnelle, puis de la rupture relationnelle au rejet de l'autre, puis du rejet de l'autre au projet de le réduire à néant, de manière à ce qu'il ne présente plus aucun danger. Il y a un lien direct entre l'intensité du sentiment de persécution du radicalisé et son niveau de dangerosité. Plus il appréhende « les autres » comme dangereux, plus il se sentira en légitime défense et sera prêt à tuer sans aucun remords. L'impact psychologique de Daesh est supérieur à son impact militaire. Les terroristes ne font pas seulement une « guerre », mais cherchent avant tout à créer une désorganisation émotionnelle au niveau individuel et à ébranler les repères de civilisation au niveau collectif.

Cela explique que la déshumanisation atteigne aussi les radicalisés eux-mêmes. Certains djihadistes se nient eux-mêmes en tant qu'êtres vivants (et pas uniquement en tant qu'êtres pensants), au profit de la suprématie de leur idéologie. Celle-ci a envahi la globalité de leur être, y compris leur champ affectif. Ils se sont identifiés à leur croyance en sa toute-puissance. Ils n'existent qu'à travers elle, quitte à se tuer pour l'imposer. Ils se situent sur un registre où ils ne sont pas capables d'avoir une vraie relation avec quelqu'un car ils imaginent que cela les rendrait trop dépendants et les éloignerait de Dieu. Le lien humain est alors perçu comme une preuve de faiblesse ou de fragilité. Ils préfèrent investir dans une relation de toute-puissance, de contrôle, une relation d'emprise sur les autres. Certaines jeunes filles que nous suivons n'aimaient plus leur « mari » pour ce qu'il était mais uniquement pour l'idée qu'il allait se sacrifier pour la cause. Elles reconnaissent qu'une fois sur zone, elles l'auraient poussé à s'inscrire sur la liste des martyrs. Pourtant, certains de ces couples se sont aimés avant la radicalisation et ont ensuite basculé ensemble. Il ne reste plus rien de cette période où ils ressentaient quelque chose. Un jeune « daeshisé » rejette tous les sentiments qui font l'être humain.

Plusieurs chercheurs estiment que cette étape de déshumanisation n'atteint que ceux qui seraient déjà fragiles au niveau psychologique ou psychiatrique. Pourtant, notre retour d'expérience sur plus de 1 000 jeunes montre le contraire, ce qui est assez ter- rifiant : quel que soit le motif initial d'engagement, la double déshumanisation peut atteindre tous les jeunes. Si l'on n'arrête pas le processus de radicalisation, tous peuvent arriver à cet état ultime, y compris quand leur idéal et leur intention de départ étaient « nobles ». On peut même aller plus loin dans la démonstration : peu d'internautes cliquent directement sur des vidéos d'exactions. La plupart sont accrochés par des motiva- tions liées à une utopie de monde meilleur (fraternité, solidarité, égalité, etc.) ou à un « moi meilleur » (sau- ver ceux qu'on aime, contrôler ses pulsions), ce qui ne les protège pas de la mort à la fin de leur processus de radicalisation... Chacun finit par penser que ce « meil- leur » peut se trouver dans la mort.

Certaines attirances pour la mort sont faciles à com- prendre. L'entrée dans le groupe radical correspond au besoin inconscient de se suicider, en donnant des justifications qui ont du sens aux yeux du jeune. C'est le cas de Jean, qui est entré en contact avec un groupe radical après la mort soudaine de son grand-père, écrasé par un camion à quelques mètres du reste de la famille. Cet homme constituait son repère principal, tant sur le plan des valeurs que pour l'inscription dans le temps et l'espace (lien avec le Portugal, terre natale de sa famille). Jean se précipite vers le corps de son grand-père et se retrouve bloqué par des pompiers qui l'empêchent de voir l'horreur sous les roues du camion. Lorsqu'il se réveille le lendemain, après la piqûre de calmant qui lui a été administrée, il s'ouvre les veines, par désespoir. Jean reste hospitalisé plusieurs jours, dans le coma, entre la vie et la mort, ses parents à son chevet, ce qui empêche son père d'aller enterrer le grand-père au pays. Pendant sa convalescence, déscolarisé, Jean cherche sur Internet des vidéos sur « la vie après la mort ». Celles qui décrivent la fin des temps et le paradis imminent l'attirent et le soulagent. On lui promet que, s'il devient un « vrai musulman », il pourra intercéder (auprès de Dieu) pour son grand-père catholique afin qu'il le rejoigne au paradis (pour les djihadistes, seuls les membres du groupe iront au paradis… Tous les autres croyants rejoindront en enfer les athées et les polythéistes, qu'ils soient musulmans, juifs ou chrétiens). Le « bénéfice secondaire » de Jean en entrant dans ce groupe est facile à comprendre. Il veut se protéger de la douleur en mourant, avec l'illusion de rejoindre son grand-père. En mourant pour son grand-père, il vivra éternellement dans la mémoire collective de sa filiation. Comme dirait l'imam Tareq Oubrou, l'islam lui permet de donner « un sens à [son] suicide ». Pour déradicaliser Jean, il s'agira de lui faire prendre conscience que son besoin de mourir n'est pas lié à une mystérieuse mission divine mais à son traumatisme et à son deuil. La désacralisation de sa mort lui permettra de se réapproprier sa vie.

Il y a d'autres attirances pour la mort dont on comprend bien la logique. On pense aux jeunes qui recherchent la toute-puissance, accrochés la plupart du temps par ce que nous appelons le mythe de Zeus. Ceux-là n'ont jamais intégré la loi, au sens symbolique du terme. Les limites leur sont inconnues. Le passage de la délinquance au djihadisme paraît compréhensible : la justification religieuse étaye la recherche de toute-puissance. Nathan fait partie de cette catégorie. Pendant sa déradicalisation, il explique s'être converti parce qu'il avait compris que « les musulmans étaient dans le vrai ». Il a suivi un premier groupe d'appartenance (les tablighs), persuadé de devenir un élu. Puis un nouveau groupe (les salafis) lui a fait miroiter sa supériorité et il a quitté l'ancien pour le rejoindre. De fil en aiguille, toujours à la recherche du « groupe supérieur », Nathan finit chez les djihadistes, à commander sur Internet les ingrédients pour fabriquer sa ceinture d'explosifs. Il est repéré par la police et nous demandons un placement en centre fermé du fait de son jeune âge, ce qui le soulage en quelques jours. Nathan avait besoin d'être contenu. Les murs du centre deviennent ses limites, et il commence à se réorganiser dans ce nouvel espace, qui devient un espace de reconstruction. On pourrait même dire que ce lieu d'enfermement devient pour lui un lieu de liberté, dans le sens où, ainsi délimité, il peut tenter de (re)devenir lui-même. Pendant son suivi, Nathan abandonne l'idée que Daesh détient la vérité mais il recherche toujours un autre groupe de « vrais djihadistes » qui la détiendrait…

C'est bien la recherche de la toute-puissance qu'il faut traiter et désamorcer chez lui. Fethi Benslama parle de revendication et de promesse d'auto-immunité dans le discours radical[1]. Auto-immunité rime avec invincibilité, terme employé par de nombreux jeunes dans leurs témoignages : « C'était bien, je me sentais invincible. » Dans ce scénario, mourir revient à rejoindre Dieu au sens de prendre sa place. Contrairement aux croyants qui « se soumettent à Dieu », Nathan veut remplacer Dieu.

D'autres parcours de jeunes finissant dans la double déshumanisation sont moins faciles à déconstruire. Le décalage entre le motif d'engagement premier et le comportement du jeune à la fin du processus de radicalisation est effrayant. Ce sont tous ceux qui passent de la volonté de « sauver les enfants gazés par Bachar Al-Assad » à la conviction qu'il faut exterminer ceux qui ne s'engagent pas avec eux, ou encore ceux qui se mettent à haïr les interlocuteurs qui les empêchent de rejoindre leur monde utopique (mythe de « Daeshland ») ou leur prince protecteur (mythe de la Belle au bois dormant). L'effet du processus de radicalisation sur ces jeunes est toujours impressionnant, notamment pour les proches, qui ont le sentiment que celui qu'ils ont connu n'existe plus. Si leur glissement vers la déshumanisation est plus difficile à comprendre, ces jeunes sont plus faciles à déradicaliser. En effet, plus le décalage est important entre le motif d'engagement initial du jeune et la réalité du projet de Daesh, plus la déradicalisation sera facile.

---

1. Fethi Benslama, *La Guerre des subjectivités en islam*, Éditions Lignes, 2014, p. 26-30.

2

Comment sortir l'adolescent
de la radicalité ?

Les difficultés de la déradicalisation,
du désembrigadement, du désengagement

Que signifie ce vilain mot de « déradicalisation » ?
Tout le monde le critique mais, faute de mieux, tout
le monde l'emploie. On peut répondre qu'il s'agit
de partir de l'individu, de son expérience, de son
embrigadement relationnel et idéologique (dont la
logique a été déconstruite et reconnue) et de son
engagement, et par le questionnement, de faire en
sorte qu'il trouve lui-même les défauts de son premier engagement pour en reconstruire un nouveau,
en accord avec la société. Au fond, l'objectif consiste
à faire comprendre au jeune que ce qu'il croit être
une « mission divine » est en réalité une déclinaison
de sa problématique personnelle : c'est lui qui veut
être utile, fuir le monde réel, se venger, mourir, etc.
Derrière les termes « déradicalisation », « désembrigadement », « désengagement », il s'agit avant tout
de restauration de l'individu.

La première difficulté est de taille : le radicalisé ne sera jamais en demande de déradicalisation, tout simplement parce qu'il ne se perçoit pas comme radicalisé. De son point de vue, ce sont « les autres » qui sont endoctrinés par les sociétés complotistes... Lui fait partie de ceux qui ont du discernement. Les discours politiques qui espèrent que certains radicalisés seront « volontaires » pour telle ou telle proposition n'ont tout simplement pas compris la définition même du radicalisé. Aucune alliance, thérapeutique ou éducative, ne peut être envisagée avec l'individu lui-même.

La deuxième difficulté est tout aussi importante : la grille de lecture paranoïaque placée dans l'esprit du radicalisé constitue notre principal obstacle à la déradicalisation car tout interlocuteur autre que Daesh est délégitimé. Les recruteurs ont mis en place une telle anxiété que le jeune ne fait plus confiance à personne. C'est pour cette raison que les expériences de discours religieux alternatif mises en place dans d'autres pays ne fonctionnent pas réellement. Les imams qui n'ont pas rejoint l'État islamique ne sont pas légitimes non plus. Comme les autres interlocuteurs, on les suspecte d'être au mieux endormis, au pire achetés par les sociétés secrètes complotistes. La délégitimation des « autres » représente la caractéristique première du radicalisé, persuadé d'appartenir au seul groupe qui détienne la Vérité. Les recruteurs ont amplifié son sentiment de persécution en le prévenant : « les autres », jaloux de ne pas être élus pour posséder la Vérité, vont tenter de le faire douter. À partir de là, toute personne qui se placera sur le registre du savoir ou du pouvoir ne pourra atteindre le radicalisé. Soit cette approche se révèle inefficace parce que le radicalisé reste sur ses gardes et se protège de ce qui pourrait contribuer à l'endormir à nouveau, soit elle est carrément contre-productive dans la mesure où elle illustre ce qu'a annoncé Daesh, renforçant ainsi involontairement sa fiabilité, donc son autorité.

L'approche anxiogène des recruteurs n'a pas simplement délégitimé tous les interlocuteurs qui tenteraient de « raisonner le jeune » : une troisième difficulté nous attend, car elle a aussi coupé le radicalisé de toutes les activités sociales qu'il avait jugées agréables et perçoit dorénavant comme anxiogènes, c'est-à-dire susceptibles de le détourner de la Vérité. Il craint que des messages subliminaux ne l'atteignent s'il écoute de la musique ou regarde des images. La culture l'éloignerait de Dieu qui d'ailleurs, de son point de vue, l'interdit. Il est donc difficile à ce stade d'approcher le jeune en « partageant un loisir ». C'est une plainte récurrente des parents à qui on demande de « garder le lien ». Ils répondent : « On ne peut plus manger au restaurant car il y aurait de la gélatine de porc dans tous les plats, le cinéma est considéré comme le produit du diable, le sport est interdit à cause de la mixité… Garder le lien, oui, mais comment[1] ? » Cette interdiction d'activités empêche toute interaction avec un adulte extérieur

---

1. Dounia Bouzar, Christophe Caupenne, Sulayman Valsan, *La Métamorphose opérée chez le jeune par les nouveaux discours terroristes*, *op. cit.*

au groupe radical qui tenterait de l'approcher sur le mode du « faire ensemble ». Impossible de dupliquer les méthodes des travailleurs sociaux mises en place pour les autres types de problèmes de délinquance ou de toxicomanie. On ne peut pas susciter la confiance des radicalisés en « transpirant ensemble » lors d'un match de foot ou en pratiquant un sport à risques... Ce n'est pas la moindre des difficultés de la déradicalisation, car toutes les formations des travailleurs sociaux reposent sur le postulat que la réinsertion du jeune au sein de la société passe par la refonte du lien social. L'apport du psychologue Donald Winnicott est très clair : la relation précède l'individu, pas le contraire. Autrement dit, l'individu se constitue dans la relation avec d'autres. Le sentiment d'identité personnelle ne se forme qu'en établissant des relations humaines. C'est à ce prix que des jeunes qui se perçoivent « à l'extérieur » de la société peuvent à nouveau éprouver de l'empathie pour autrui. Le travailleur social a pour objectif d'aider le jeune à prendre conscience de lui-même et du monde dans lequel il vit pour lui apprendre à « s'attacher ». La rage ou la haine est le seul lien au monde du radicalisé, tout comme pour le délinquant. C'est bien leur point commun, même si cette haine est en partie le produit de l'embrigadement du radicalisé (et pas seulement le résultat de son histoire personnelle). Mais se placer dans l'échange et la réciprocité en partageant une activité pour faire naître de l'empathie est dorénavant impossible tant le sentiment de paranoïa du radicalisé est intense, en tous les cas au début de la déradicalisation.

Une quatrième difficulté s'ajoute à cette impossibilité d'approcher le jeune : les conseils en dissimulation qui lui sont transmis. Lorsqu'il comprend que son entourage est au courant de sa radicalisation, l'intéressé en parle à son groupe qui lui recommande immédiatement de « se mettre en dissimulation ». La dissimulation vient de la notion islamique de *taqîya*, instrumentalisée par les djihadistes. *Taqîya* vient du verbe qui signifie « prévenir », « se prémunir ». C'est une pratique consistant à dissimuler sa foi sous la contrainte, afin d'éviter tout préjudice et réaction hostile d'un milieu extérieur défavorable. À son origine, la *taqîya* provient directement d'une recommandation du Prophète de l'islam selon laquelle la foi peut être cachée si elle conduit à la persécution. Les réseaux reprennent cette définition pour mettre en situation de dissimulation d'apparence les jeunes déjà convaincus d'être persécutés par un monde hostile. Peu importe que cette notion vienne de l'islam chiite qu'ils considèrent comme égaré, les recruteurs ne sont pas à une contradiction près…

La dissimulation est devenue courante. Elle s'est elle aussi adaptée au contexte, de manière presque individualisée. En fait, les recruteurs francophones, ayant grandi au sein des institutions françaises, connaissent bien les grilles de lecture professionnelles des éducateurs, des assistants sociaux, des psychologues et des policiers. Cela leur permet de conseiller le jeune en fonction du type de professionnels chargés de le suivre. Si la préfecture a désigné un psychologue, les recruteurs vont suggérer au jeune d'évoquer des difficultés relationnelles avec ses parents ; si elle a désigné un éducateur de rue, ils lui conseilleront de participer à l'atelier rap… le temps que son dossier soit classé.

Déradicaliser, désembrigader, désengager…

Notre méthode de déradicalisation, expérimentée auprès de 1 134 jeunes en deux ans (dont 272 récupérés à la frontière ou ayant déjà organisé leur voyage), accompagne le repositionnement individuel du jeune par rapport à l'idéologie radicale en utilisant diverses techniques pour « déradicaliser » ou « désembrigader » ou « désengager ». On peut conceptualiser cette méthode d'accompagnement du changement comme un ensemble de techniques visant à faire face aux ruptures comportementales, émotionnelles et cognitives. Cette méthode ne minimise pas l'importance des facteurs de risque et de vulnérabilité personnels, ni les phénomènes de groupe en jeu. Au contraire, elle pousse ensuite les jeunes à entamer un travail en psychothérapie pour réfléchir aux déterminants individuels qui ont contribué à leur entrée en radicalité, partant du postulat établi par nos anciens travaux que « si un discours fait autorité, c'est qu'il fait sens[1] ». Il est évident que le degré de vulnérabilité du jeune influence la réception du discours anxiogène de Daesh. Si l'on admet que la fréquentation de sites complotistes est stressante, le processus d'évaluation du risque présenté par un jeune en voie de radicalisation dépendrait de la grille indivi-

---

1. Dounia Bouzar, *Quelle éducation face au radicalisme religieux ?*, *op. cit.*

duelle d'interprétation de la réalité, elle-même fonction de caractéristiques personnelles individuelles ainsi que des variables de la situation[1]. Autrement dit, la grille de lecture paranoïaque des djihadistes atteint d'autant plus facilement un jeune déjà fragilisé par une histoire difficile ou un événement traumatique. Le processus est donc conscient et inconscient : le jeune apprécie la menace en fonction de ses ressources personnelles, de ses vulnérabilités et de ses aménagements défensifs. Amélie a toujours rencontré des difficultés relationnelles avec son entourage et lorsque les recruteurs veulent la persuader que tous les humains sont des menteurs, la manœuvre n'est pas très difficile. Sofia a été abusée dans sa petite enfance et lorsque les recruteurs lui font miroiter une protection divine par le port du niqab, la manœuvre est tout aussi facile.

Les circonstances dans lesquelles cette vision du monde paranoïaque est communiquée influent aussi sur sa réception. Elle aura plus de résonance sur le jeune si les proches de ce dernier s'y reconnaissent aussi : si plusieurs camarades regardent les mêmes vidéos et ressentent la même angoisse, celle-ci sera décuplée. Ainsi, l'angoisse du jeune va trouver un écho chez ses amis, et cela va confirmer la validation de son sentiment. Cela explique que, dans certains quartiers, des groupes de copains partent ensemble rejoindre Daesh : ils ont ressenti le même stress qui s'est décuplé à mesure que les autres copains le res-

---

1. Richard S. Lazarus et Susan Folkman, *Stress, Appraisal and Coping*, New York, Springer, 1984, cité in Marilou Bruchon-Schweitzer et Robert Dantzer, *Introduction à la psychologie de la santé*, PUF, 1994.

sentaient également... Nul besoin d'opposer l'approche psychanalytique à l'approche cognitive : il y a bien une interaction entre l'état du jeune au moment où il rencontre le discours (résultat de son histoire et de ses caractéristiques personnelles) et l'effet du discours lui-même (réception différente des messages anxiogènes, choix de mesures compensatoires). Plus le jeune présente des vulnérabilités au niveau psychologique, plus le discours radical pourra augmenter son niveau d'anxiété et le précipiter vers des solutions inadaptées et dysfonctionnelles : se couper des autres, fuir cette société corrompue et rejoindre le califat ou exterminer tous ceux qui ne pensent pas comme lui pour régénérer le monde. C'est pour cette raison que tous les jeunes qui visionnent des vidéos complotistes ne tombent pas dans les bras des djihadistes ! Et que tous les jeunes qui se rapprochent des recruteurs djihadistes ne deviennent pas violents !

Comme étape préparatoire, la méthode réclame de rechercher les ressources sur lesquelles s'appuyer pour déradicaliser un jeune. Elle nécessite une alliance avec les parents ou avec un tuteur de résilience (éducateur, instituteur, etc.), qui peut être une figure d'attachement (oncle, grand-mère, ami proche, etc.). Cette alliance est fondamentale car elle ne peut se faire avec le radicalisé lui-même qui, persuadé que les autres sont endormis ou complices des forces obscures complotistes, se perçoit comme le seul individu capable de discernement. Toute déradicalisation doit se réfléchir avec l'aide au minimum d'un tuteur de résilience.

Avec cette personne, il s'agit de faire l'anamnèse du jeune et de cerner son motif d'engagement, puisque nous avons vu que le discours radical adapte l'idéologie djihadiste aux différentes aspirations cognitives et émotionnelles. En effet, pour chaque engagement, il y a une rencontre entre les besoins inconscients du jeune (être utile, fuir le monde réel, se venger...), sa recherche d'idéal (changer le monde, construire une vraie justice, sauver les musulmans...) et le discours qui lui propose une raison de faire le djihad cohérente (partir pour sauver les enfants gazés par Bachar Al-Assad, pour construire une société sur des valeurs musulmanes, pour se battre contre l'armée du dictacteur...). Il s'agit donc pour nous de prendre en compte la quête de sens dans l'engagement radical. Cette individualisation de l'embrigadement puis de l'engagement du jeune dans la radicalité exige par conséquent une individualisation de la déradicalisation.

La première étape de la méthode vise à ébranler le fonctionnement psychique rigide qui s'est installé chez le jeune. Le discours djihadiste utilisant les émotions pour insécuriser et radicaliser la personne, nous emploierons aussi les émotions pour, dans un premier temps, la rassurer de manière à contourner l'obstacle du verrouillage cognitif (conséquence de la radicalisation). Comme le discours djihadiste, notre méthode de déradicalisation va donc utiliser les émotions pour pouvoir agir sur les cognitions.

Le discours anxiogène des djihadistes a provoqué une désaffiliation de l'individu en le plaçant dans une communauté de substitution et en lui donnant l'illusion d'appartenir dorénavant à une filiation mythique sacrée et protectrice (ce que l'on nomme « embrigadement relationnel »). Commencer par faire appel au lien originel comme principal facteur de reconstitution permet de replacer le jeune au sein de sa filiation afin qu'il retrouve d'abord une partie de ses repères affectifs, mémoriels, cognitifs. Il s'agit de le faire revenir dans une histoire où il se sentait en sécurité avant de recevoir les émotions anxiogènes des djihadistes. Pour cela, les parents remettent en scène des « petits riens de la vie quotidienne », a priori négligeables, qui pourraient provoquer une remontée émotionnelle totalement inconsciente et réflexive chez leur enfant en lui rappelant quelque chose de son passé non atteint par l'embrigadement. Cette mise en situation de « remémoration de la petite enfance » crée les conditions propices à l'émergence des émotions, en faisant référence à des éléments ancrés dans la mémoire à long terme (mémoire autobiographique). Cela explique l'incontrôlabilité du ressenti émotionnel en lien avec les souvenirs d'enfance. En effet, les parents racontent que leurs enfants « s'écroulent » en pleurant quand ils les touchent par une odeur, une musique, un geste qui appartenait à leur petite enfance.

Sachant que le discours djihadiste a dilué l'individu dans le collectif paranoïaque, opérant une sorte d'anesthésie des sensations individuelles, le coupant de toute culture pour lui interdire l'expérience du plaisir et l'incarnation de tout ressenti, la remémoration de micro-événements qui ont rythmé sa petite enfance fait ressurgir non seulement des sentiments provisoirement refoulés, mais aussi et surtout des sensations, ce qui le ramène à son corps et à ce qu'il est. Lorsque le jeune ressent des sensations, il redevient un individu singulier, un sujet réincarné dans un corps. La déshumanisation visée par les djihadistes passe par la désincarnation. La déradicalisation passe donc par la réincarnation.

Cette remémoration agit sur l'émotion et par conséquent contre l'embrigadement relationnel (qui provoque l'adhésion du jeune à son nouveau groupe), en permettant au radicalisé de retrouver des sensations indélébiles non liées au groupe radical. On réussit à lui faire sentir des choses pour qu'il se différencie du ressenti du groupe radical. Alors, il redevient un individu singulier. On assiste à une sorte de réveil, même éphémère. C'est notre objectif. Bien entendu, une photo, un chant ou une promenade ne vont pas le remobiliser en tant qu'individu comme par magie ! Ce travail minutieux et subtil nécessite des semaines, voire des mois. Un père, retournant dans un chalet où la famille avait l'habitude d'aller en vacances, a entendu son fils chantonner la berceuse qui constituait son rituel du soir. En regardant la vidéo de sa bat-mitsva, où tous ses amis riaient ensemble, Rachel a éclaté en sanglots. En entendant les *anachid* écoutés depuis des années à chaque Aïd en famille, Brahim s'est jeté dans les bras de sa mère... La remémoration ouvre une brèche dans le fonctionnement psychique rigide du jeune radicalisé en lui faisant revivre une expérience émotionnelle déstabilisante parce qu'elle lui permet de se rappeler le temps sécurisant où il faisait confiance aux adultes. En revenant à sa petite enfance, on le déstabilise parce que, l'espace de quelques minutes, il est remis en sécurité par ceux qu'il perçoit depuis sa radicalisation comme des personnes dangereuses. Dans certains cas, entrer dans l'histoire de l'enfant par l'intermédiaire de ses parents a suffi à remobiliser l'individu et à le sortir de son processus. Dans d'autres cas, ce n'est qu'une introduction.

Reste à inventer d'autres façons de créer les conditions propices à l'émergence d'émotions qui permettent au radicalisé de se rappeler qu'il est un individu distinct de son groupe. Il s'agit tout simplement de trouver à chaque fois le meilleur moyen de sécuriser le jeune envahi par des émotions négatives anxiogènes qui l'empêchent de garder des liens avec son entourage. Le sentiment de type paranoïaque du radicalisé a été construit par l'entourage djihadiste, du collectif vers l'individuel. La première étape de la déradicalisation doit trouver des stratégies pour instaurer des relations d'individu à individu, en touchant le radicalisé par un partage émotionnel.

Quand il s'agit de jeunes adultes parents, il est possible de les remobiliser comme individus en passant par des émotions liées à leur vécu de parents. Nous allons cette fois-ci nous appuyer sur leurs enfants pour les remobiliser en tant que parents, puis en tant qu'individus pensants. On peut ajouter que la grossesse a été repérée comme une période propice pour provoquer des réaménagements psychiques. Plusieurs des jeunes filles suivies ont recommencé à penser pendant ce moment-là, comme si le fait de sentir bouger leur enfant les replaçait dans leur filiation.

Lorsque, de réaction en réaction, le parent s'aperçoit que son enfant se remet en lien, il prévient l'équipe pour passer à la deuxième étape. Nous devons nous montrer réactifs car le jeune, souvent resté en contact avec sa tribu numérique par Internet ou avec son groupe fusionnel dans le quartier, peut rapidement se reconstruire une carapace. Il faut profiter de la réaction positive qu'a provoquée le travail de remémoration pour commencer la deuxième étape qui consiste, en une seule séance, à ébranler les certitudes inhérentes à l'embrigadement idéologique. Il s'agit d'introduire le doute dans le nouveau mode de pensée auquel le jeune a été conduit à adhérer. Cette étape propose au radicalisé, avec l'aide de repentis[1], des « solutions alternatives » pour assouplir sa façon de percevoir le monde. On essaye de créer une brèche dans la rigidité des croyances en les confrontant à de nouvelles informations qui font émerger des incohérences. Le jeune est ainsi acculé à se confronter à ces incohérences qui ne correspondent pas à sa motivation initiale (aider les victimes de guerre, par exemple). Au fond, il comprend qu'il doit réajuster son engagement pour que ce dernier ne soit pas incohérent par rapport à sa motivation première.

Cette partie de la méthode repose sur le constat initial que l'engagement dans l'idéologie djihadiste est

---

1. Le terme « repenti » n'est pas utilisé ici dans le sens d'une notion de repentance judiciaire. Un repenti est un individu qui a participé à l'idéologie de Daesh ou qui s'est rendu sur place et qui accepte de témoigner pour désembrigader d'autres jeunes afin qu'ils ne vivent pas ce qu'il a vécu.

construit en résonance avec les motifs et les idéaux de chacun (les sept motifs d'engagement déjà évoqués). Le discours djihadiste vise à éloigner le jeune du monde réel pour l'installer dans une illusion permanente. À un moment donné, les recruteurs le persuadent que son idéal, son besoin, son mal-être trouvera sa résolution par son adhésion à l'idéologie proposée, seule capable à la fois de le satisfaire, de le faire renaître et de régénérer le monde. Les recruteurs établissent un lien cognitif entre la dimension transcendantale, en l'occurrence l'islam, et la dimension de l'expérience vécue. Le jeune évolue alors vers une idéologie reliée à une identité collective.

Préalablement à cette deuxième étape, on choisit les repentis qui témoignent en fonction des mythes qui ont présidé à son embrigadement, de manière à ce que leurs témoignages provoquent un « effet miroir ». Ces séances sont organisées sur le modèle structurel des Alcooliques anonymes : des repentis partagent leur rétroanalyse en groupe. Le jeune entre dans la salle en ignorant l'objet réel de sa venue, il pense être là pour ses parents qui auraient besoin de soutien. Il restera pour plusieurs raisons[1] : parce qu'il pense que cette séance n'est pas pour lui, pour faire plaisir à ses parents avec qui il est partiellement en train de renouer des liens, du fait de la première étape (madeleine de Proust), et parce qu'il est curieux de connaître la fin des discours des repentis qui ont commencé à s'exprimer.

---

1. N'oublions pas que, à ce stade, nous avons demandé aux proches de ne pas communiquer sur notre identité. Le radicalisé, s'il comprend qu'il est perçu et « diagnostiqué » comme tel, se mettra en dissimulation.

La prise de recul vis-à-vis de l'idéologie djihadiste survient quand le jeune radicalisé se retrouve face à une information qui n'est pas cohérente avec l'idée qu'il se faisait de l'action et de l'objectif des djihadistes. Comme le discours fait autorité en donnant une réponse aux questions existentielles de l'individu, comme celui-ci se sent baigné dans une sorte de cohérence entre ses besoins et son engagement dans le djihadisme, il faut l'amener à se rendre compte du décalage entre le mythe présenté par les recruteurs (par exemple, régénérer le monde en possédant la Vérité), son motif personnel (par exemple, être enfin utile ou aider les musulmans) et la déclinaison réelle de l'idéologie (devenir complice de l'extermination de tous ceux qui ne pensent pas comme eux). C'est quand cette double cohérence se fissure, par l'intermédiaire de témoignages de repentis, que le radicalisé peut commencer un long travail de rétroanalyse de ses doutes, qui le mènera à sortir de la radicalité.

Il faut donc avoir au préalable identifié les motivations personnelles premières de la personne (aider les Syriens, se venger, chercher de la protection, etc.) pour ensuite la mettre face aux contradictions que son engagement entraîne[1] (il n'y a pas d'humanitaire chez Daesh, seuls ceux qui font allégeance bénéficient du chauffage gratuit). Plus le motif d'engagement sera loin de la réalité du projet de Daesh, plus la déra-

---

1. À cet égard, cette approche présente des similitudes avec les techniques de l'entretien motivationnel (Miller, Rollnick, Michaud & Lécallier, *L'Entretien motivationnel*, InterÉditions, 2013) qui passe par l'amplification des incohérences pour accompagner le changement.

dicalisation sera facile. C'est souvent le cas : rares sont les jeunes qui se sont engagés avec pour objectif premier d'exterminer tous ceux qui ne pensent pas comme eux. Cet état résulte d'une transformation, qui intervient à la fin du processus de radicalisation. La remobilisation cognitive ne fonctionne néanmoins que si l'incohérence concerne une motivation personnelle du radicalisé. Si le repenti pointe une incohérence non liée à la motivation du radicalisé, de type général et abstrait (par exemple, il voit bien que les djihadistes mentent en prétendant que la fin du monde est imminente puisqu'ils demandent aux femmes de faire des enfants pour qu'ils deviennent de futurs soldats), elle ne touche pas le radicalisé. Pour que ce dernier se remette à penser, il doit être déstabilisé personnellement par l'élément rapporté par le repenti et réaliser lui-même les incohérences entre son besoin, son idéal et le mythe qui lui a été présenté par les recruteurs, puis entre ce mythe et la réalité des actions sur le terrain. C'est le radicalisé lui-même qui doit être amené à argumenter à partir des éléments rapportés par les repentis pour que lui apparaisse le décalage entre ce qui lui a été promis et les réalités. L'effet miroir entre le témoignage du repenti et le motif d'engagement du radicalisé déstabilise ce dernier car il ne se méfie pas de ces témoignages, ignorant qu'ils lui sont destinés... Nous devons arriver à séparer l'individu de son idéologie, pour qu'il revienne dans le monde réel et puisse se remettre à exprimer des émotions et à penser.

Conclusion
de la première partie

Lorsque nous avons commencé cette grande aventure humaine, nous pensions qu'il suffirait de montrer aux jeunes le « vrai visage de Daesh » pour qu'ils s'en désengagent. Ce pari a fonctionné : la plupart des radicalisés ont fait le deuil du groupe djihadiste qui se prétend « État islamique » quand ils ont eu connaissance de leurs véritables actions et réalisé leur manipulation de l'islam, tant sur le plan historique que théologique. Mais nous avons appris à nos dépens que se désengager d'un groupe djihadiste ne signifie pas se déradicaliser totalement. En effet, plusieurs jeunes ont quitté leur groupe djihadiste parce qu'ils étaient déçus de leur comportement mais n'ont pas fait le deuil de l'utopie de la loi divine : « Un jour, je rencontrerai des djihadistes qui appliqueront pour de vrai l'islam et nous construirons ensemble un monde de justice et d'égalité. » Certains de ces jeunes désengagés de Daesh ou d'un autre groupe rival rêvent encore d'un autre monde géré par l'islam. Le deuil de l'utopie de la justice divine est long : il s'agit de reconnaître que ce qui est présenté comme divin se révèle toujours une production humaine, puisque ce sont des hommes et des femmes (plus souvent des hommes !) qui l'interprètent et l'appliquent. Le repenti Farid Benyettou reconnaît avoir mis six ans pour arriver à cette dernière étape[1]. Ceux qui opèrent ce deuil passent souvent par une période d'effondrement : leur château de cartes s'est détruit et le retour au monde réel est violent. Avant de comprendre qu'un autre type d'engagement est possible pour améliorer leur vie (ou le monde), ils ont souvent le sentiment de tomber dans le vide, dans une sorte de gouffre, d'être incompris de tous. C'est la traversée du désert. La perte de l'utopie conduit parfois à la dépression. D'autres éprouvent une sorte de phobie paranoïaque, voire schizophrénique. Comme Pauline[2], qui nous bombardait de textos d'appels à l'aide : le matin, elle craignait d'être embarquée de force par les djihadistes ; le soir, elle s'enroulait dans son drap pour se rappeler son niqab et se reconnectait avec Daesh (en leur racontant ce qu'on lui avait dit…). Il arrive aussi qu'un terrain paranoïaque ou dépressif ait été « colmaté » par la radicalisation. Sortir de la radica-

---

1. « Avant, une petite lueur demeurait dans le coin de mon esprit : l'espoir qu'un jour, les lois divines pourraient être appliquées de manière authentique, pour faire le bien sur Terre. Ce concept de loi divine était clair pour moi. Je séparais ce qui venait de Dieu du monde humain. J'imaginais qu'on pouvait accéder à la parole divine sans passer par l'humain. Ce n'est plus le cas aujourd'hui : je réalise que les lois divines ne sont qu'une utopie […] C'est en écoutant les jeunes du CPDSI que j'ai compris à quel point l'interprétation d'un texte religieux dépend des sentiments, des subjectivités, des histoires et des vécus des êtres humains », (Farid Benyettou et Dounia Bouzar, *Mon djihad*, *op. cit.*, p. 156).
2. Pauline a pu se stabiliser en entamant une psychothérapie familiale avec Serge Hefez.

lité n'est pas un long fleuve tranquille. Les utopies que faisaient miroiter les recruteurs ont permis à ces jeunes de fuir le monde réel. Aussi lorsque, pendant la déradicalisation, ils font le deuil de ce qui leur était présenté comme *la* solution, leur mal-être explose au grand jour, souvent avec fracas…

On retrouve la même interaction entre l'adhésion au groupe et l'adhésion à l'idéologie dans le processus de sortie de radicalité que dans celui de radicalisation. Certains jeunes ne croient plus au nouveau monde régi par le divin mais restent liés à leur groupe. C'est souvent le cas des adolescents, dont l'embrigadement relationnel est supérieur à l'embrigadement idéologique. Le sentiment de fusion avec leurs « nouveaux frères et sœurs » était si fort qu'ils n'arrivent pas à refaire du lien humain dans le monde réel. Il faut dire que la société n'a pas gardé les bras ouverts pour les recueillir, assimilant les jeunes embrigadés et les chefs embrigadeurs. Ce raisonnement n'est pas tout à fait faux : tout embrigadé devient embrigadeur, puisqu'il tente d'abord d'emporter avec lui ceux qu'il aime le plus, avant de leur tourner le dos. Je ne connais pas de repenti qui n'ait pas sur la conscience le départ d'un « plus petit que lui ». C'est pour cela que nous avons nommé cela « la chaîne de la mort ».

Ceux qui sont « en voie de déradicalisation » sont donc fichés au sens propre et figuré, quel que soit leur niveau d'embrigadement et de radicalité. Sans papiers d'identité, suivis de près par leur préfecture et la police, ces jeunes qui ne sont jamais passés à l'acte[1] retrouvent

---

1. Les jeunes que nous avons suivis en déradicalisation ont tous été arrêtés à la frontière et se trouvaient sous contrôle judiciaire, qui allait

difficilement une place dans le système scolaire ou professionnel. La société est terrifiée qu'ils aient pu avoir un lien avec des terroristes et ne regarde pas de plus près de quel type de lien il s'agissait. Ils sont réduits à une définition de « monstres » qui rassure et donne le sentiment de maîtriser à la fois le phénomène et l'ennemi. Les déclarations sans aucune scientificité qui clament que « la déradicalisation ne fonctionne jamais » ont du succès. Ne pas tenir compte de la complexité du processus de la radicalité et du mythe présenté par les recruteurs permet d'éviter la remise en question sociétale. Il est plus facile de prétendre que la radicalisation est un pur produit de l'islam ou d'un déséquilibre psychologique, que d'admettre que notre jeunesse française doit sacrément manquer d'idéaux pour se faire enrôler aussi facilement. Car tout de même, au sein de l'Europe, la France est en haut du hit-parade…

Pendant leur sortie de radicalité, les jeunes passent donc de l'identité groupale à la grande solitude, d'autant qu'ils sont forcément privés d'Internet pendant cette étape. Comme ils ont rejeté tous leurs anciens amis en les traitant de « sales mécréants », ces derniers sont souvent aussi terrifiés que le reste de la société. Reste la famille, qui se retrouve à son tour seule et parfois rejetée, tant par le milieu politique, institutionnel, amical que professionnel, suspectée d'avoir commis au moins une faute pour que leur enfant en soit là. Le paroxysme de la réinsertion impossible s'est réalisé

d'une fois par semaine à quatre fois par jour. Seuls 2 revenaient de Syrie en 2014. Depuis les attentats du Bataclan, tous ceux qui reviennent de Daesh sont systématiquement incarcérés et ne sont pas suivis en milieu ouvert.

quand les autorités turques ont livré un nom à la presse française, qui s'en est servie pour faire un scoop... Une jeune majeure, complètement déradicalisée au niveau idéologique, est repartie mourir en Syrie parce qu'elle n'arrivait même pas à trouver des vacations de ménage avec son bac + 4. Son nom avait été divulgué par la Turquie et repris en boucle sur le Net, accompagné d'informations mensongères, de Tokyo à New York.

Dans l'attente du jugement judiciaire qui dure souvent de nombreuses années, le soutien mis en place pendant cette période « grise » est fondamental. À ce moment-là, « il n'y a pas de vie après Daesh[1] », comme aiment me le répéter les concernés. C'est pour cela que nous proposons des groupes de parole « pour désembrigadés ». La sortie de radicalité entraîne à la fois la perte du cadre normatif rigide, la rupture affective avec le groupe, le deuil de l'utopie, et donc le retour à un sentiment d'instabilité. Mais, au sein des groupes de parole, ce sentiment d'incertitude est valorisé comme expression de liberté : c'est bien de douter, de se poser des questions... C'est normal de se demander en qui on peut avoir confiance... L'incertitude devient la preuve que l'individualité se remet en marche. Avec des pairs, le jeune suivi va prendre conscience du lien entre sa vulnérabilité, l'anxiété produite par le groupe radical et son histoire personnelle, afin de devenir acteur dans la recherche de solutions (et non pas de s'en remettre à un groupe

---

1. Référence au récit *La Vie après Daesh*, aux Éditions de l'Atelier, que j'ai écrit en 2015 à partir de l'enregistrement de séances de déradicalisation, qui a inspiré le film *Le ciel attendra*.

qui pense pour lui et lui fournit des mesures compensatoires dysfonctionnelles). Au fond, la tentative de compréhension de la source de la vulnérabilité crée des ressources positives qui vont lui permettre de sortir lui-même de l'incertitude. Il y aura des hauts et des bas, des avancées et des rechutes, des ambivalences… Les groupes de parole offrent un espace où ces interrogations peuvent s'exprimer sans peur d'être jugé. Le temps de stabilisation dépend de l'âge et du niveau de radicalisation du jeune. Cela demande au minimum une longue année de suivi intensif. Les spécialistes de Singapour estiment qu'il faut attendre plus de neuf ans pour déclarer un repenti « stabilisé ».

C'est à ce moment-là que le relais s'établit alors avec un psychiatre (dans notre cas avec Serge Hefez et son équipe), qui prend en charge le jeune, désormais volontaire pour comprendre ce qui lui est arrivé… Le temps de déradicalisation n'est qu'un tremplin, une sorte de sas, un espace transitionnel pour mener le jeune vers des interlocuteurs resocialisants : professeurs, entreprises, imams, éducateurs et psychologues. Mais tous ces professionnels multidisciplinaires complémentaires ne peuvent avancer que si l'ensemble de la société accepte de laisser ces jeunes sortir de la radicalité et ne les enferme pas à l'intérieur de l'identité de « terroristes » en croyant se protéger. À terme, seule l'expérience d'un autre engagement au sein du monde réel constitue la preuve du deuil de l'utopie. La protection de la société ne peut passer que par la résilience des radicalisés. Et pour cela, il faut partager la croyance commune qu'il est toujours possible de faire resurgir et gagner la part d'humanité que chacun a en lui.

SECONDE PARTIE

Serge Hefez

« Ceux qui peuvent vous faire croire en des absurdités pourront vous faire commettre des atrocités. »

Voltaire

Depuis plusieurs mois, ils occupent malheureusement le devant de la scène médiatique, provoquent
l'inquiétude quand ce n'est pas l'effroi, nous ren-
voyant l'image d'une jeunesse perdue et violente, sans
repères ni affects, prête à faire le sacrifice de sa vie
pour sauver un monde dans lequel elle ne se reconnaît
plus et ne trouve plus sa place. De massacres en attentats sanglants, notre pays se fige dans un inconsolable
état de stress post-traumatique, et les cérémonies et les
commémorations deviennent les nouveaux rituels de
consolidation de l'identité nationale.

En France, ils sont aujourd'hui environ 2 000 à
avoir succombé aux sirènes de Daesh. Les experts se
penchent sur leur cas, tentent d'analyser le pourquoi et
le comment de la radicalisation, tandis que les parents
s'interrogent, préoccupés de savoir si leur adoles-
cent/e pourrait à son tour se laisser embrigader dans
la folie radicale. Ce que l'on nomme « radicalisation »
recouvre aujourd'hui ce que l'on nommait autrefois
extrémisme, fanatisme, intégrisme, sectarisme, tous
ces phénomènes différents à présent regroupés sous
une bannière commune, au carrefour du religieux, du
politique et du subjectif.

Chacun à sa manière aimerait pouvoir dresser le profil type du radicalisé afin de repérer plus vite les signes avant-coureurs de son affiliation à l'État islamique, mais en réalité il n'existe pas de profil type. Tout au plus peut-on distinguer, à partir de leur parcours, trois grandes « catégories » de jeunes radicalisés[1].

Il y a tout d'abord les jeunes dits « de banlieue » issus des quartiers défavorisés, qui se vivent comme des laissés-pour-compte, marginalisés par une société qui ne veut pas d'eux et ne leur offre aucune chance, sinon la délinquance, manière de projeter sur l'extérieur leur haine de soi et de marquer leur révolte par des actes essentiellement négatifs. Ces jeunes ont subi de plein fouet la relégation socio-économique. Ils finissent par être habités par le rejet de la France, éprouvent une hostilité envers la police ou partagent l'idée que la violence est justifiée et qu'elle est une bonne chose. Pour une infime partie d'entre eux, à qui la délinquance ne suffit pas, la radicalisation permet de recouvrer la dignité, et même plus encore, en devenant chevaliers d'une foi qui sacralise la haine des mécréants. Ils surinvestissent les préceptes pervertis d'une religion souvent peu investie par leurs propres parents. Certains de ces préceptes vont s'opposer de plein fouet aux principes d'égalité et de liberté qui sont les piliers essentiels des valeurs de la France. Ce qui aboutit au rejet de la nation et à la justification du recours à la violence. Pour cette frange de radicalisés, dont faisait partie Amedy Cou-

---

1. Farhad Khosrokhavar, *Radicalisation*, *op. cit.*

libaly, assassin d'une policière et auteur d'un attentat dans un Hyper Cacher de la porte de Vincennes, la prison joue un rôle de première importance dans la radicalisation. Plus tard, le voyage « initiatique » en Syrie permet de renouer avec une société musulmane mondiale (néo-oumma) à la fois mythique et fantasmée.

À ces jeunes de banlieue sont venus s'ajouter de plus en plus de jeunes issus des classes moyennes, ayant un niveau d'études satisfaisant, un niveau socioculturel plus élevé. Chez eux, la haine n'est pas le moteur, au contraire. Nombreux sont ceux qui rêvent d'un autre monde, souffrent d'un déficit de sens, rêvent d'accomplir de grandes choses, de se mettre au service de l'humanité souffrante en combattant l'injustice. La radicalisation vient ici combler ce manque de sens en leur donnant un cadre, des repères, un idéal, et en apportant des réponses univoques dans un monde dont la complexité les paralyse.

Enfin, les jeunes filles, qui se retrouvent dans les deux précédentes catégories, semblent de plus en plus nombreuses aujourd'hui à passer à l'acte (ou tout au moins à essayer), guerrières qui viennent heurter notre conception des genres et des attributions de chaque sexe. La réaction à l'attentat raté de Notre-Dame de Paris, fomenté par des jeunes femmes, montre si besoin est que les stéréotypes survivent aux évolutions de la société. Comme pour nous conforter dans ces idées un peu caricaturales de femmes douces et d'hommes guerriers, celles qui se radicalisent sont le plus souvent animées par un élan humanitaire ou par la quête d'un amour avec un homme « idéal » : viril, protecteur, engagé, qu'elles serviraient tandis qu'il combat et à qui elles assureraient une nombreuse descendance – autrement dit, l'exact opposé de notre société prônant l'égalité hommes/femmes et le partage des rôles sans attribution de genre.

Ces catégories, bien réelles, rendent imparfaitement compte de la réalité à laquelle nous sommes confrontés. Au-delà, et derrière les discours, les raisonnements, les querelles d'interprétation, il n'existe que des histoires singulières, des sujets manipulés, des familles en souffrance et beaucoup d'incompréhension, beaucoup de questions aussi.

Le radicalisé type n'existe pas. Ils viennent de tous les milieux sociaux, de toutes les origines, de toutes les cultures… A priori, ils n'ont rien en commun et pourtant vont se fondre et se confondre, jusqu'à se perdre, dans une pseudo-idéologie mortifère et des promesses de régénération.

Cependant, il serait plus juste de dire qu'ils ont un seul point commun, leur jeunesse, la plupart étant dans ou à l'orée de cette adolescence dont chacun sait qu'elle appelle des remaniements, des questionnements, des transformations physiques et psychiques, qu'elle est l'âge des extrêmes, du tout ou rien, une période radicale dans le sens où elle revisite l'essence des choses de la vie, leurs fondements, avec exigence et intransigeance. Une adolescence qui se cherche, flirte avec les limites, les franchit parfois, plus portée à l'emportement qu'à la nuance et bien décidée à aller « jusqu'au bout » sans toujours savoir quel est le bout et le but à atteindre. Période où l'on détruit et déconstruit pour mieux se (re)construire et se trouver, dans une autonomie psychique revendiquée, l'adolescence est l'âge de tous les possibles et de tous les dangers. Les rabatteurs de Daesh le savent parfaitement et se servent de ses fragilités pour mieux rapter des sujets qu'ils instrumentalisent. Il n'est pas interdit de penser que l'adhésion à Daesh peut s'apparenter à un rite de passage permettant d'accéder plus vite à l'âge adulte en achevant l'interminable post-adolescence des sociétés européennes, dans lesquelles l'accès à l'autonomie devient de plus en plus tardif.

Ces jeunes qui s'engagent sous la bannière de Daesh sont-ils fous ? Et si oui, de quelle pathologie mentale sont-ils porteurs ? Cette question me revient avec une telle insistance ! Cette jeune fille de 16 ans pesant 32 kilos qui contemple avec dégoût dans le miroir son image décharnée en s'écriant : « Je suis monstrueusement obèse », est-elle folle ? Ce jeune garçon de 17 ans aux avant-bras scarifiés, qui s'injecte furieusement dans les veines tous les produits toxiques qui lui passent sous la main, et qui alterne des tentatives de suicide désespérées et des crises de rage destructrices, est-il fou ? Cet adolescent de 15 ans, élève brillant, qui, sans raison apparente, ne peut plus sortir de chez lui, suffoque d'angoisse sur le chemin de son lycée, menacé par un danger invisible, et qui se cloître des jours et des nuits entières devant un écran, est-il malade mental… ? Oui, bien sûr, tous ces comportements ne sont pas vraiment « normaux » ! Et pourtant, les revoici quelques mois ou quelques années plus tard, beaux, brillants, amoureux, sûrs d'eux-mêmes, confiants dans leur avenir. Ces métamorphoses sidérantes marquent la sortie d'une folie bien commune, la folie adolescente. Tous n'en sont pas frappés avec la même intensité, mais peu traversent aujourd'hui cette période de la vie avec aisance et désinvolture.

En ce sens, les premiers jeunes qui m'ont été adressés par Dounia Bouzar et son équipe pour leur embrigadement, et qui m'ont jeté au visage : « J'aime la mort comme vous aimez la vie », m'ont paru bien familiers. Ces adolescents en souffrance, en errance, en questionnement existentiel, je les connais depuis bien longtemps. Que leur souffrance s'exprime par de la violence, des automutilations, une toxicomanie, des tentatives de suicide, des troubles alimentaires, je les reçois depuis toujours avec l'ensemble de leur famille. Car leur crise d'adolescence est aussi une crise familiale, et la tentative de rupture d'avec leur milieu reflète avant tout l'impossibilité de se dégager de leurs appartenances.

Pour tenter d'y voir plus clair, voici en introduction quelques histoires de jeunes que j'ai eu l'occasion de suivre. Celles-ci plus que d'autres parce qu'elles me paraissent exemplaires dans leur singularité et donnent à voir comment, pour des raisons très différentes, l'adolescence peut flirter avec des risques majeurs de désubjectivation présentés comme des moyens d'accomplissement sans égal.

Pauline est l'aînée d'une famille de trois enfants. Sa sœur a deux ans de moins qu'elle et son frère, cinq. Les parents sont tous deux enseignants, laïcs, ouverts et aimants.

En grandissant, cette fille aînée leur donne toute satisfaction : elle est vive, assez brillante pour avoir un an d'avance, gaie, et très proche de son père, passionné par l'histoire des religions, mais qui en bon scientifique ne perd pas une occasion de démontrer l'inanité de toute croyance et la nécessité d'une pensée rigoureuse et cartésienne. Entre eux deux, les discussions sont animées, enflammées.

À 14 ans, Pauline est une adolescente exaltée, animée par des désirs humanitaires grandioses. Elle se voit en nouvelle mère Teresa, exprime son intention de devenir médecin pour sauver ceux qui souffrent à travers le monde.

Ce sont ses rêves humanitaires qui, via Internet, vont la mettre en connexion avec d'autres, comme elle. Bientôt les conversations tournent autour de la religion, de la foi musulmane qui permet de transcender les doutes, de la nécessaire conversion et de la non moins nécessaire adhésion à Daesh qui, ça tombe bien, s'occupe des enfants martyrisés de par le monde et principalement en Syrie.

Soutenue par ses « sœurs », Pauline fait part à ses parents de son désir de conversion… provoquant les foudres de son père et, dans une moindre mesure, de sa mère, les deux s'opposant catégoriquement à son choix. Cette opposition, comme l'on peut s'en douter, renforce la radicalité de Pauline qui s'éloigne de ses copains avant de rompre avec eux, sèche les cours jusqu'à refuser d'aller au lycée, prie cinq fois par jour, et passe sa vie sur Internet. Elle y est en contact permanent avec ses « sœurs » qui soutiennent son combat « héroïque » et y rencontre bientôt un Syrien combattant engagé, avec qui elle se fiance puis se marie virtuellement sans jamais l'avoir rencontré ! Mais dès qu'elle le pourra, elle le rejoindra. Et, bien sûr, Pauline a commencé à se voiler. Elle a d'abord enfilé un jilbab, dans le secret de sa chambre ou le temps d'un trajet jusqu'au collège, avant d'acheter une burqa sous laquelle elle se prend en photo pour créer son nouveau profil Facebook. Pauline a disparu, laissant la place à Oum Munqidha : la sauveuse.

Il faudra attendre une énième dispute pour que le père fouille l'ordinateur de sa fille et découvre, interloqué, ce profil d'une inconnue dans laquelle il peine à reconnaître Pauline. Mais son passeport est prêt et les contacts sont pris pour le départ. Le monde s'écroule. Devant la détermination de Pauline et leurs difficultés à dialoguer, ils prennent contact avec le CPDSI qui, au bout de quelque temps, les oriente vers une thérapie familiale. C'est à ce moment que je les rencontrerai.

Jean, victime devenue bourreau

La petite enfance de Jean se déroule sans histoires, entre ses deux parents et sa sœur, de trois ans plus jeune que lui. Lorsqu'il a 8 ans, ses parents se séparent dans le bruit et la fureur, avec force éclats, retrouvailles, emportements... prenant à témoin leurs familles respectives qui, à la manière des Montaigu et des Capulet dressés les uns contre les autres sans possibilité de dialogue, ne font qu'envenimer une séparation déjà conflictuelle. Les deux clans n'ont jamais réussi à créer d'unité familiale, le prochain divorce fait éclater les antagonismes, sur fond d'intérêts financiers, de prétendue réussite et de supposés échecs... Au milieu de ces rivalités, et puisque leurs parents sont tout entiers pris dans leurs déchirures passionnelles, Jean et sa sœur, en souffrance, se rapprochent et se soutiennent comme ils peuvent, développant une relation très forte.

Âgé de 12 ans, Jean subit attouchements et abus sexuels avec une forte composante sadique de la part d'un voisin de 16 ans d'origine musulmane, qui l'oblige bientôt à faire entrer sa jeune sœur dans l'histoire. De tout cela, ni l'un ni l'autre ne parleront à leurs parents. Même séparés, ces deux-là continuent de s'entredéchirer, Jean et sa sœur étant ballottés de l'un à l'autre au gré de leurs nombreux déménagements.

Au collège, Jean s'acoquine à une bande et se retrouve bientôt pris dans une histoire de maltraitance envers une fille qui porte plainte puis la retire. Jean retourne sa position victimaire et devient bourreau... mais ce sera l'occasion pour lui de parler enfin à ses parents des maltraitances du voisin envers sa sœur et lui. Une main courante est alors déposée contre l'abuseur.

C'est à ce moment qu'il se lie avec Khaled, qui lui parle pureté, rédemption, engagement, paradis. Jean tombe rapidement sous son emprise, ce Khaled pouvant apparaître comme le pendant du voisin qui l'a conduit à la dépravation, sali et souillé. L'affiliation au groupe radical se fait très rapidement et sans demi-mesures, via Internet et les jeux vidéo, la conversion suit, avec la naissance d'un autre Jean, rebaptisé Abu Hasayn, tentant même d'entraîner sa sœur qui commence à porter le voile.

Devant ces changements, et les conflits avec Jean devenant de plus en plus violents, le père s'alarme, jusqu'au jour où il pirate tous les systèmes informatiques de son fils, découvrant des messages où celui-ci s'affirme prêt à mourir, en faisant sauter une ceinture d'explosifs dans un grand magasin. Consternation, incompréhension, inquiétude, le père remonte le fil des différents réseaux sociaux, des connexions Internet, dans une intrusion terrible qu'il justifie en affirmant vouloir sauver son fils. À des vidéos de Daesh avec tortures et décapitations succèdent des films porno très hard, avec sévices et humiliation de la femme, des visites sur des sites homosexuels, des recherches sur des thèmes allant de « mon pénis est trop petit » à « que dois-je faire pour devenir éducateur ? »... Ce surfing permanent laisse entrevoir un adolescent complètement perdu, traversé par mille interrogations, mille tentations qu'il peine à creuser, cherchant de toutes les manières possibles à apaiser ses tourments... Un voyage sidérant, comme en temps réel, au cœur du psychisme d'un jeune qui perd pied.

Le père est littéralement hors de lui, mais la mère tempère et banalise : tout ça, ce sont des erreurs de jeunesse, Jean sait ce qu'il fait, il va se reprendre. L'intervention de la DGSI dans l'histoire la convainc du danger que son fils court et fait courir aux autres, et met fin à ce déni maternel. Après des années de conflits, le couple explosif laisse place à un couple parental animé par le désir de protéger leur fils. Est-ce pour éponger un peu de leur culpabilité de n'avoir pas su protéger Jean de la maltraitance du voisin ? Le père remue ciel et terre, ne le quitte plus d'une semelle, intrusif et inquiet, excessif, à tel point que Jean l'accuse de chercher à lui nuire à tout prix et de comploter pour y parvenir, l'affrontant en des scènes d'une violence inouïe.

Le degré avancé de son embrigadement met ce jeune garçon en si grand danger pour lui-même et pour les autres que nous décidons d'une hospitalisation dans notre service pour une longue durée, afin de le protéger. Tour à tour enfant perdu, abattu par un fort sentiment d'abandon, puis exalté par un sentiment amoureux envers une adolescente hospitalisée comme lui, tantôt adolescent « banal » en conflit ouvert avec son père et avec nous qui l'enfermons, tantôt « illuminé », parlant de sauver le monde, de pureté et de régénération, Jean met le service en émoi. Pas seulement parce qu'il est connecté à des individus dangereux et met potentiellement en danger les autres jeunes hospitalisés et l'équipe, mais parce que sa personnalité double et le clivage qui est le sien interrogent les limites entre radicalisation, engagement et folie.

En un rien de temps, le petit garçon qui s'émeut devant des photos de famille se sent persécuté dès qu'on essaie de le recadrer, se braque et se vit comme victime de l'autre et d'une terrible injustice. Capable de menacer un soignant de lui couper la tête en criant qu'il l'a « repéré », qu'il se souviendra de lui, et de faire preuve d'une froideur glaciale, figeant la culpabilité comme l'empathie.

La radicalisation est-elle une folie en soi ? De quelle psychopathologie souffre Jean et de quels soins a-t-il besoin ? Le suivi thérapeutique doit-il être assorti d'un traitement médicamenteux ? Comment le protéger ? Le soigner ? L'arrimer à la réalité ? Autrement dit, Jean nous interroge sur la frontière plus ou moins mouvante à l'adolescence entre normalité et folie.

Pauline et Jean ont chacun leur histoire, leurs blessures, leurs fragilités, leurs désirs, leurs interrogations sur eux-mêmes et sur leur vie, sur la vie en général. Ils ne se ressemblaient pas, n'évoluaient pas dans les mêmes milieux, avaient peu de chances de se rencontrer… Mais tous les deux ont été pris dans la folie de Daesh qui les a isolés de leur famille et de leurs amis, les a convaincus d'abandonner peu à peu tous leurs repères, les transformant en soldats du djihad, automates sans pensée propre, entièrement soumis aux ordres de faux prophètes. Deux marionnettes fondues dans un prêt-à-penser qui abrase les différences jusqu'à faire perdre à chacun sa singularité.

1

L'emprise, un mécanisme familier… et familial

Lorsque l'on évoque les jeunes radicalisés, l'un des mots qui nous revient le plus souvent est celui d'« emprise », terme péjoratif évoquant la manipulation d'un être par un autre qui en fait sa chose.

En effet, au sein de toutes les familles traversées par une problématique de radicalisation que nous avons reçues, des mécanismes d'emprise réciproque étaient à l'œuvre, et nous avons eu le sentiment que le jeune cherchait de manière tout à fait inconsciente à se soumettre paradoxalement à un groupe encore plus contraignant pour s'extraire de l'emprise familiale. Cette emprise peut s'exercer par un des parents qui éprouve le besoin vital de capter son enfant afin de lutter contre sa propre dépression, par la relation conflictuelle et passionnelle qui relie ces parents et qui fascine l'enfant au point qu'il s'oublie lui-même, par l'histoire traumatique de la famille, des deuils inaccomplis, des ruptures, un exil… Il ne s'agit aucunement d'accuser de « mauvais » parents mais de comprendre que toute la famille est soumise à ce mécanisme et que personne ne peut y échapper. C'est tout le sens du travail que nous mettons en place, un travail commun de dégagement de l'emprise.

L'emprise n'est pas seulement négative. Avant d'être domination et manipulation, elle est influence, proximité fusionnelle et chacun de nous, c'est souhaitable, la connaît au début de sa vie. En effet, dans la relation mère/enfant, dès la naissance et parfois même avant, se met en place un mécanisme d'emprise réciproque. La mère est captée par le bébé, ses besoins, ses attentes, son bien-être, en proie à cette « maladie normale » que Winnicott désigne sous le terme de préoccupation maternelle primaire, quand d'autres n'hésitent pas à parler de « folie maternelle ordinaire » (Jacques André). Tout se passe comme si elle appartenait entièrement à son enfant qui, en retour, lui appartient puisqu'il dépend d'elle pour assurer ses besoins les plus élémentaires.

De cette emprise nécessaire et fondatrice, il va pourtant falloir s'extraire, se soumettant à un long travail de séparation et d'autonomisation, qui va permettre à chacun de trouver sa place et d'exister, indépendant de l'autre. Ce chemin ne se fait jamais de façon linéaire, mais dans des allers-retours entre éloignement/rapprochement, fusion/émancipation.

L'emprise peut cependant devenir pathologique et pathogène lorsqu'elle perd sa dimension de réciprocité et ne laisse plus place au moindre mouvement d'éloignement. L'un des deux s'approprie alors l'autre pour sa propre satisfaction, sa propre jouissance, pour remplir et justifier son existence, ou tout simplement pour ne pas sombrer dans la dépression et la destructivité, ne lui laissant plus d'espace, niant le sujet dans son altérité et sa singularité pour en faire son objet. Une relation de dominant/dominé, bourreau/victime, se substitue à la réciprocité initiale et, au terme de ce qui s'apparente à un meurtre psychique, la victime n'existe plus comme personne à part entière mais devient un appendice de l'autre, soumis à son arbitraire. L'emprise se met en place dans toute relation de séduction niée et suscite un enfermement qui vise à « ligoter » autrui, lui imposant aveuglement et mutisme. Elle l'enferme à double tour dans un cercle clos par le message paradoxal du double langage. De son côté, la personne sous emprise maintient cet enfermement, pour se protéger de la douleur d'être niée, annulée. Elle se piège dans cette « double contrainte » : obéir à ce qui la destitue, tout en restant dans la confusion, prisonnière d'un état de dépendance et d'impuissance à s'en défaire. Les personnes soumises à ce traitement sont sidérées et n'ont pas d'autre choix que de répondre en développant des stratégies d'adaptation pour réduire leur angoisse. L'état de sidération a pour conséquence d'entraîner une dissociation mentale interdisant d'analyser et de comprendre la situation afin de trouver solution et délivrance.

Le rapport d'emprise empêche toute possibilité d'entrer en relation réelle avec l'autre en tant qu'« autre », différent de soi, mais le maintient soumis au groupe, prisonnier et esclave. Le plus souvent, les personnes sous emprise n'en ont pas conscience, mais elles peuvent sentir un malaise très invalidant, qui les pousse à souhaiter se libérer de leur carcan.

Toute l'enfance est un processus de séparation progressive qui connaît en quelque sorte son apogée à l'adolescence. L'adolescent doit mettre en acte et en œuvre ce processus de désaffiliation qui le pousse à s'éloigner de sa famille pour s'ouvrir à d'autres groupes, d'autres influences auxquels il va s'affilier le temps de se former, se forger une identité et revenir plus tard vers sa famille, avec la possibilité d'y prendre ce qui lui convient, sans se sentir englouti par elle.

La clinique familiale et la vision systémique qui est la mienne me montrent que la relation d'emprise ne se limite pourtant pas au duo victime/bourreau, méchant/gentil, fort/faible, mais que c'est toute une famille qui peut être sous emprise d'une histoire traumatique, d'un deuil ou d'un secret, emprise qui conduit à l'agrippement des uns aux autres, et qui fige chacun dans une fonctionnalité familiale qui l'empêche de trouver son espace d'autonomie. Tout le monde connaît par exemple la souffrance de la deuxième génération des rescapés de la Shoah qui n'a pourtant pas connu directement le génocide.

Encore une fois, il ne s'agit en aucun cas ici de pointer du doigt des familles à risque, des familles vampirisantes qui feraient le lit de la radicalisation de leur enfant, mais de souligner que même des parents « suffisamment bons », animés des meilleures intentions peuvent être agis malgré eux, dans un mécanisme d'emprise qui leur échappe, à eux comme aux autres membres de la famille.

Lorsque Pauline m'a été adressée, j'ai reçu la famille au complet, découvrant peu à peu son histoire et son organisation.

Fille unique, la mère de Pauline a grandi entre deux parents catholiques pratiquants mais loin de tout intégrisme, et elle a assez vite rejeté les valeurs religieuses. Elle avait 17 ans lorsque son père et sa mère sont morts, cette double disparition la laissant seule et déboussolée, prise dans un deuil difficile.

C'est à la fac qu'elle rencontre celui qui deviendra le père de Pauline. Les parents de celui-ci, commerçants très occupés par leur métier, ont un peu laissé à leur fille aînée le soin de veiller sur ce cadet. Enfant plutôt introverti, adolescent complexé et mal dans sa peau, solitaire peu avide d'entrer en contact avec ses pairs, il est passionné par les écrans, geek à une époque où le mot n'existait pas encore. Il voue à sa sœur une admiration et un amour inconditionnels : elle est sa fenêtre ouverte sur le monde, celle qui l'empêche de se replier complètement sur lui-même en l'emmenant à des fêtes et en lui présentant des amis. En dehors des écrans, il a une autre passion : les religions et les discours qui lui sont consacrés, non par goût du sacré mais pour démontrer, raisonnement à l'appui, que tout y est faux et mensonger.

Un peu perdu, chacun à sa manière, ces deux jeunes vont s'accrocher l'un à l'autre et ne plus se quitter. Ensemble, ils militent dans des partis de gauche, ensemble ils entrent dans la vie active en devenant professeurs et ensemble, ils attendent leur premier enfant. Ils ont 25 ans.

La mère dira que, plus encore que leur rencontre et leur amour, c'est la naissance de ce bébé qui lui sauve la vie, la sortant d'une dépression latente depuis la mort de ses parents. D'un commun accord, ils l'appellent Pauline, prénom de la sœur tant aimée du père. Comme je m'en étonne au cours d'une séance, il me regarde d'un air plein de commisération pour le psy qui pressent des trucs cachés partout. Il aime sa sœur, il donne à sa fille le même prénom, où est le problème ? – si tant est qu'il y en ait un.

Voilà un exemple d'emprise familiale. De par leurs histoires respectives, les deux parents assignent à Pauline un rôle de premier plan, trop lourd à porter. Elle est celle qui sauve sa mère, celle qui succède à la sœur aimée dans le cœur du père.

Ce ne sont pas des parents malveillants, seulement des parents sous emprise, englués dans leur propre histoire, qui construisent une famille dans laquelle la fille aînée devient le personnage central, une sorte de pivot. Tout se cristallise autour d'elle, objet de toutes les attentions, de toutes les passions.

Comment se détacher de ces parents-là sans leur faire de mal ? Sans les fragiliser ? Pour y parvenir, Pauline choisit ce qui va à l'encontre de tous les principes qu'on lui a inculqués, l'extrême inverse des valeurs familiales de laïcité. Moyennant quoi, la tentative de sortie de la cellule familiale débouche sur un enfermement plus sévère. Son père fouille ses affaires, jette les jilbabs, démonte la porte de sa chambre, de la salle de bains, lit ses messages et ses comptes Facebook… dans une surveillance de tous les instants. Au fond, Pauline reste une toute petite fille accrochée à ses parents qui, en adoptant les comportements et les convictions les plus éloignés des leurs, finit par les capter dans son univers à elle et, à la place de la séparation souhaitée, obtient un renforcement de la fusion qu'elle recherche sans le savoir.

Toute famille repose sur deux axes. L'un, vertical, est celui de la filiation, de l'héritage, ce qui se transmet de génération en génération, des liens entre le passé parfois lointain et le présent, tout ce qui, dans l'histoire de cette famille-là, vient affecter l'individu et que l'on peut tenter de mettre au jour au cours d'un travail psychothérapique.

L'autre axe, horizontal, est celui du groupe présent et de ses relations dans l'ici et maintenant. Comment il fonctionne et s'articule, comment il est en contact avec son environnement, comment il autorise ou non les mouvements vers l'extérieur, les allers-retours entre le dedans et le dehors et permet à chacun de développer des capacités, des complémentarités, des rôles différenciés – les rôles n'étant pas donnés seulement par l'ordre des générations : l'on voit ainsi des enfants protecteurs de leurs parents, des fils conjoints de leur mère alors que leur père est en place d'enfant, des jeunes filles qui incarnent une grand-mère… sans parler du rôle dévolu à chacun : le/la semeur/ semeuse de troubles, le/la conciliateur/ trice, le bouc émissaire, etc.

Il est possible de dire que certains groupes familiaux présentent des analogies avec une secte, ce qui se joue à l'intérieur empêchant d'investir des relations sociales extérieures. Les relations s'établissent sur un mode incestuel (et parfois réellement incestueux) tant les liens internes sont privilégiés par rapport aux liens externes. La vérité familiale l'emporte sur la réalité sociale.

Les parents de Pauline n'ont pas choisi de lui donner cette place de patient désigné, de bouc émissaire, pas plus qu'elle n'a choisi de s'y glisser. Pourtant la réalité est là : les parents sont focalisés sur elle et la surinvestissent. Avant la radicalisation, parce qu'elle est brillante, charmante, aimante. Après la radicalisation parce qu'elle les provoque, les rejette, les inquiète. À tel point que sa sœur et son frère deviennent transparents. Pour prouver qu'elle existe à côté de cette aînée qui se voile, la cadette adopte des tenues provocantes, courtes et excessivement dénudées, mais personne ne le lui reproche. Elle ira jusqu'à faire une tentative de suicide en avalant des comprimés, et passera une nuit à l'hôpital, mais à sa sortie, les parents n'en parleront plus, comme s'il ne s'était rien passé. Quant au frère, il est pris un jour dans mon bureau d'un accès de colère folle : les murs tremblent, les objets volent, les cris tentent de dire la frustration, l'étouffement dans cette famille où il n'y en a que pour Pauline.

L'histoire de Djamel est celle d'une famille recomposée où chacun peine à trouver sa juste place et à accepter la redistribution des rôles, le partage des espaces.

Son père, d'origine algérienne, est mort quand il était petit et il a été élevé par sa mère, dans une relation de grande proximité où il tient le rôle de l'homme, protecteur, parfois confident. Djamel a 12 ans quand sa mère tombe amoureuse d'un homme d'origine française catholique, père de deux filles, avec lequel elle décide de s'installer. D'emblée, les relations entre Djamel et son beau-père sont explosives. Le premier supporte mal l'intrusion de ce tiers qui lui vole sa place et ne se prive pas de lui faire des remarques, aussitôt repris par la mère de Djamel qui ne supporte pas qu'on touche à son fils, et le protège abusivement. L'ambiance familiale se dégrade, les résultats scolaires sont en chute libre, Djamel se met à sortir, à fumer et à s'alcooliser, à commettre de petits actes délictueux – avec pour conséquence de provoquer plus de tensions au sein du couple : son beau-père tente de le secouer, sa mère reproche à celui-ci d'être tout le temps sur son dos.

La conduite de Djamel change soudain du tout au tout : il se laisse pousser la barbe, arrête les sorties, l'alcool et le tabac, prie cinq fois par jour, et tente de mettre la famille au pas en lui dictant ce qu'elle doit manger, comment les uns et les autres doivent se comporter, s'habiller. Le beau-père s'énerve, la mère lui reproche à nouveau de n'être jamais content ; après tout, son fils se comporte beaucoup mieux ! Djamel se raccroche à l'histoire post-coloniale fantasmée de sa famille paternelle. Il rompt le cessez-le-feu, et renoue avec la guerre, contre ce beau-père qui lui a volé sa mère dans un premier temps, puis contre la France. Au contact des recruteurs de l'État islamique, il dit haïr le français de Voltaire, cette langue « perverse », alors qu'il ne connaît lui-même que quelques mots d'un arabe de cuisine…

Il apparaît vite que la radicalisation de Djamel lui permet de se forger une identité de substitution pour se dégager d'un malaise familial qu'il ne supporte plus. Il se crée ainsi une autre famille qui le met hors d'atteinte de la première, grâce à quoi il échappe à ce qui lui pèse, sans se rendre compte que les contraintes au sein de sa nouvelle famille sont bien pires. Mais par son choix, il se sent sujet de sa propre vie – désir de tout adolescent qui doit se construire en tant qu'individu autonome. À lui comme aux autres, la propagande de Daesh offre l'apparence d'une émancipation et la résolution de leur crise d'adolescence.

L'exemple de David Vallat[1], ex-djihadiste ayant publié son autobiographie, *Terreur de jeunesse*[2], à la suite des attentats de *Charlie Hebdo*, illustre le trajet d'une radicalisation islamiste. Issu d'un milieu modeste, David Vallat grandit dans un quartier populaire d'une ville nouvelle, entre Grenoble et Lyon. Ancienne prostituée, sa mère élève seule quatre enfants, deux garçons et deux filles. David n'a jamais connu son père, « probablement un voyou, impliqué dans le proxénétisme ». Dans sa famille, la religion n'occupe aucune place particulière : sa mère est baptisée, « comme on transmet une coutume de génération en génération ». Pourtant, à 5 ans, il demande à sa mère de l'inscrire à un cours de catéchisme. Un curé

---

1. Cet exemple est longuement développé dans la thèse pour le doctorat en médecine de Rafael de Almeida e Costa, « Chemins psychiques vers le fanatisme religieux, une pathologie du croire ? », thèse que j'ai eu l'honneur de diriger.

2. Calmann-Lévy, 2016.

lui assènera un jour une grande gifle pour le calmer. Son affiliation chrétienne s'arrêtera là, mais il conservera un intérêt pour les questionnements existentiels. « Depuis tout gamin, je me pose des questions sur la mort et le néant. »

Une autre religion est particulièrement présente dans son environnement : l'islam. Dès son plus jeune âge, le petit David côtoie en effet des copains de confession musulmane. « Leurs parents, issus de la première génération d'immigration, pratiquent une foi tranquille et discrète. »

À l'adolescence, il se renseigne davantage sur cette religion, et plusieurs rencontres l'amènent à se convertir, il a alors 15 ans. Déscolarisé à la fin de la troisième, il verse d'abord dans la délinquance : cambriolages, braquages, vols de voitures dont l'un lui vaut une condamnation à dix-huit mois de prison avec sursis. « Cet événement agit comme un électrochoc. » Vallat se réfugie alors dans sa religion adoptive, l'islam. À 19 ans, lors de son service militaire, il brandit cette nouvelle appartenance pour s'affirmer et adopter une posture rebelle.

À son retour, il entreprend une formation d'architecte. Mais en 1992, la guerre de Bosnie-Herzégovine éclate, et des milliers de musulmans bosniaques sont massacrés par les forces militaires et paramilitaires serbes. Vallat constate alors avec amertume un cynisme ambiant et une absence d'empathie de la part de l'opinion publique française à l'égard des Bosniaques. « Je superpose les visages d'enfants bosniaques à ceux des petits juifs des camps. J'en fais une seule et même souffrance universelle. Et je me dis que je suis incapable de rester insensible à ça. » Dans sa mosquée de quartier, il participe activement aux discussions centrées sur l'injustice frappant les musulmans et, emporté par son élan, il rejoint la Bosnie en 1993 pour « aider les populations en péril, rejoindre des musulmans en danger » et combattre les unités paramilitaires serbes.

Vallat souligne l'héritage communiste de son grand-père, syndicaliste actif, dans l'usage de la force et de la violence pour régler des situations d'injustice. « Enfant, je ne sais pas exactement de quelle façon, mais j'ai l'impression que ce grand-père m'a légué une forme d'engagement. Comme lui, j'ai le sentiment qu'il faut lutter, se battre, vivre pour un idéal. » Il affirme ainsi s'être rendu en Bosnie avec l'esprit des volontaires des Brigades internationales de 1936. Là-bas, une forme radicalisée de l'islam prend le pas sur ses convictions humanitaires : l'idéologie wahhabite djihadiste, dont les représentants sont alors les alliés militaires des Bosniaques sur le terrain. David Vallat poursuit son engagement dans le djihad, et une escalade mortifère l'amène à rejoindre les camps d'entraînement afghans et pakistanais, puis à se rapprocher du Groupe islamique armé (GIA). De retour en France, il est chargé d'acheminer des armes en provenance des Balkans.

Il est alors indirectement impliqué dans les attentats islamistes de 1995, qui ont fait 8 morts et près de 200 blessés. Il assure n'avoir rien su de ce projet d'attentat, persuadé de participer uniquement à une filière d'exportation d'armes. Arrêté en 1995, à l'âge de 23 ans, David Vallat sera condamné en 1997 par le tribunal correctionnel de Paris à six ans de prison pour association de malfaiteurs en relation avec une entreprise terroriste, peine ramenée à cinq ans en appel.

L'incarcération, des lectures intensives et des rencontres décisives l'aideront progressivement à se déradicaliser et à reprendre une vie familiale, sociale et professionnelle.

Bien des pathologies adolescentes trouvent leur origine dans cette difficile prise de distance d'avec leur famille et leur histoire, la voie choisie pour s'émanciper n'aboutissant qu'à un renforcement de la proximité étouffante. Tous les jeunes veulent soigner leur famille, et cette mission peut prendre le pas sur leurs propres mécanismes vitaux.

Les traumatismes familiaux, qu'ils soient de nature sociale (exils, émigrations, luttes armées) ou psychique (deuils, ruptures, dépressions), vont grever la transmission d'un poids si lourd qu'ils vont faire obstacle à l'autonomisation d'un jeune qui doit pouvoir se séparer sans rompre afin de choisir d'intégrer librement certains éléments de son histoire. Tout ce qui fait obstacle à la désaffiliation « normale » à l'adolescence risque de donner naissance à des symptômes. L'adolescent retourne alors la violence contre lui-même : tentative de suicide, anorexie, boulimie, toxicomanie, scarifications… passant d'une prise de tête à une autre, d'une emprise à une autre, la liberté recherchée ne faisant que renforcer la dépendance. L'adolescent/e devient le centre de la famille, le patient désigné de la relation familiale : on fouille ses affaires, on surveille ses fréquentations, on le pèse, on guette les marques de scarifications… Il vit en permanence sous le regard de ses parents, ce regard qu'il voulait fuir à tout prix pour exister par lui-même.

Sa tentative d'échapper à l'emprise familiale débouche sur une autre emprise. Ce que nous observons aujourd'hui chez les jeunes radicalisés me rappelle ce que nous observions, dans les années 1980, lorsque nous avons créé un centre pour jeunes toxicomanes : les paradis artificiels de l'héroïne n'allaient jamais sans l'enfer d'un conflit familial majoré, la dépendance engendrant la dépendance. Le paradis promis par Daesh représente un même piège qui se referme et empêche la construction et l'affirmation du sujet.

La difficulté à se désaffilier est parfois telle que cela ne peut se faire sans une rupture radicale, comme s'il s'agissait de tirer un trait définitif entre l'avant et l'après. Pendant un temps, l'adolescent en voie de radicalisation est à la fois au-dedans et au-dehors, pris entre deux « familles » aux valeurs diamétralement opposées. Le rejet de la première s'accompagne souvent de violence, de maltraitance et de cruauté allant crescendo : l'adolescent/e vide les bouteilles d'alcool et de parfum, coupe la musique et la télévision, détruit tout ce qu'il peut et qu'il considère contraire à son nouveau code de bonne conduite, décapite ses peluches d'enfant, couvre la tête des poupées des plus jeunes de chaussettes… Reproduction à petite échelle de la terreur que le groupe entend semer dans le monde, miroir de la terreur indicible que provoque l'idée de la séparation et de la solitude à laquelle elle expose.

2

Le groupe : appartenance et croyance

Ainsi que le soulignait Dounia Bouzar, si le processus de radicalisation s'appuie sur un embrigadement idéologique qui consiste à faire adhérer le jeune à un nouveau mode de pensée[1], c'est sans doute l'embrigadement relationnel, l'adhésion à un nouveau groupe[2] qui opère une véritable séduction chez des adolescents en quête d'appartenance. Renouer mythiquement avec une communauté musulmane mondiale attaquée par l'Occident, faire corps avec cette société contre sa propre société mal aimée, devenir le héros absolu de cette communauté fantasmée, revêtu du prestige de martyr, devient leur objectif fantasmé. Que ces jeunes soient convertis ou de tradition musulmane, la dynamique est la même : ils vont renaître (« *born again* ») au sein de cette nouvelle famille d'adoption[3].

---

1. Dounia Bouzar, Marie Martin, « Pour quels motifs les jeunes s'engagent-ils dans le djihad ? », *Neuropsychiatrie de l'enfance et de l'adolescence*, 2016 (http://dx.doi.org/10.1016/j.neurenf.2016.08.002).

2. *Ibid.*, n° 3.

3. Terme au départ conceptualisé et utilisé par Olivier Roy, in *Le Djihad et la mort*, Le Seuil, 2016.

Fethi Benslama a souligné les clivages massifs, les conflits internes opérant chez bien des sujets rassemblés sous cette bannière quant à leur rapport à la mémoire et au présent, au savoir et à la vérité, au droit et à la souveraineté, aux désirs et aux interdits. L'histoire récente justifie largement la blessure infligée à l'idéal islamique, d'autant plus que dans la plupart des contrées colonisées, les musulmans sont passés de la position de maîtres à celle de subalternes dans leurs propres pays. La sécularisation a entraîné le passage du sujet de la communauté au sujet social. Et chacun sait à quel point notre pays encense un universalisme volontiers abstrait dans une méfiance viscérale envers tout ce qui se réclamerait d'une démarche communautaire. Il y aurait ainsi deux sortes d'ennemis, l'ennemi extérieur, le colon, l'Occidental, et l'ennemi intérieur traversé par un conflit permanent entre le membre de la communauté et le citoyen. Le dictateur extérieur a alors beau jeu de remplacer le dictateur intérieur. Dans l'offre des recruteurs, il peut s'agir de faire concorder les souffrances personnelles de chaque postulant avec celle d'un idéal blessé, ce qui entraîne une vertigineuse aspiration vers la toute-puissance, la gloire et le sacrifice[1] .

L'identité de sujet repose et se construit sur deux piliers indispensables. D'une part, notre individualité, notre spécificité, la façon dont on peut se raconter soi-même, différent des autres, à travers ses propres histoires et expériences – c'est l'identité narrative. D'autre part, notre identité groupale, communautaire,

---

1. Fethi Benslama, *Un furieux désir de sacrifice, op. cit.*

qui se situe du côté du même, de ce que l'on partage et qui nous fait nous affilier aux mêmes mythes, aux mêmes croyances, aux mêmes valeurs, aux mêmes règles de fonctionnement. Ces deux identités se complètent, se nourrissent et interagissent sans cesse, indispensables l'une à l'autre.

La quête identitaire, particulièrement intense à l'adolescence, se joue ainsi sur deux temps et entre deux tensions opposées : d'une part, appartenir au groupe et s'y fondre pour échapper à l'angoisse d'être soi et seul, et d'autre part, s'extraire du groupe pour affirmer sa différence, sa singularité, son originalité. À cette période de la vie, c'est le groupe familial qu'il faut quitter à tout prix, pour trouver d'autres groupes d'appartenance qui vont permettre de renforcer l'identité singulière, « appartenir un temps ensemble » donnant l'étayage nécessaire pour « tenir à part », en dehors, en tant que sujet autonome et, autant que faire se peut, libre.

Ce sujet est doté d'un psychisme que l'on peut considérer soit comme son bien propre, au même titre que son cerveau ou un autre organe, niché quelque part dans la boîte crânienne et doué de la capacité de fabriquer de la pensée, des souvenirs, des névroses ; soit, et c'est ce qui prévaut dans mon travail avec les familles, le psychisme est envisagé dans l'intersubjectivité, la relation et l'interaction. Il existe ainsi un psychisme groupal qui n'est pas le résultat de l'addition des psychismes individuels qui y sont affiliés mais une entité en soi, compacte. L'esprit de groupe, qui est aussi esprit de corps – nous y reviendrons –, transcende l'esprit de chacun des membres qui le composent. Et bien souvent le transforme !

Le jeune qui a besoin de fuir la famille et sa hié-
rarchie générationnelle se tourne prioritairement vers des
groupes de pairs où l'égalité, même relative, est de mise,
les uns et les autres se rassemblant autour de goûts ou
de valeurs communs et librement choisis. Cette appartenance groupale peut infléchir fortement le destin de chacun, pour le meilleur et pour le pire. Le meilleur quand
le groupe se fédère autour d'un sport, de la musique ou
de toute autre pratique culturelle, qui va structurer le
jeune et peut-être devenir l'un des piliers de son identité.
Le pire quand le groupe est violent, désœuvré, radical,
davantage rassemblé en réaction contre quelque chose
que par adhésion à un projet commun.

Mais l'appartenance au groupe est si nécessaire
qu'elle oblige à certains clivages : on dénigre devant
la bande ce chanteur que l'on écoute en boucle chez
soi, on se moque de quelqu'un qu'on apprécie par ailleurs… De ces petits arrangements avec soi-même, le
psychisme s'accommode parce qu'il est souple et joue
avec les clivages, un peu comme s'il tâtonnait dans le
noir, à la recherche d'un appui stable qui l'aidera à se
raffermir. Il arrive que le groupe, pathogène, impose
des clivages difficiles que l'adolescent subira d'autant
plus qu'il a besoin de se sentir reconnu et accepté.
Les exemples ne manquent pas, comme celui de ce
garçon de 16 ans, pris dans une histoire de tournante.
Son éducation, ses valeurs, ses croyances lui avaient
soufflé de ne pas y participer, mais la peur du rejet et
de l'exclusion de la bande avait fini par balayer ses
hésitations. L'esprit de groupe ne laissait pas de place
aux états d'âme individuels et réclamait de faire allégeance, sans restriction.

Sans aller jusqu'à de telles extrémités, tout adolescent s'affiliant à un groupe ou une bande découvre des croyances autres que celles de sa famille, qu'il a faites siennes jusqu'alors, certains cherchant des valeurs très éloignées, voire radicalement opposées, par besoin de se singulariser dans l'excès. Même une fois l'adolescence terminée, chacun peut se sentir clivé entre ses croyances personnelles et celles de ses différents groupes d'appartenance, mais réussit à composer avec ces contradictions dans la mesure où il s'agit de niveaux de croyance différents. C'est ainsi que des scientifiques ultracartésiens croient en Dieu ou s'interrogent sur sa possible existence, sans qu'il y ait déchirement insupportable.

Les choses se compliquent lorsque la croyance s'efface au profit de la conviction. Une vérité surgit alors qui ne laisse plus la moindre place au doute, au questionnement, au travail d'interprétation et d'analyse, à la mise en perspective   attitudes indispensables à la lecture de tout texte religieux qui se respecte et s'offre à la lecture singulière avec la nécessité d'être revisité à la lumière de l'Histoire, du lieu ou du contexte.

À partir du moment où un texte devient discours de vérité gravé dans le marbre et intouchable, l'adhésion groupale prend une nature paranoïaque, la paranoïa étant à entendre ici comme la conviction de détenir la Vérité, unique et absolue. Dans ce cas, le psychisme se rigidifie et le clivage, poreux jusque-là, se change en mur infranchissable et étanche qui empêche de mettre la Vérité en balance avec d'autres systèmes de croyance. Le psychisme individuel se dissout dans le psychisme groupal.

La découverte de la radicalisation de son enfant provoque généralement la stupeur et l'effondrement, les parents prenant soudain conscience de l'ampleur de la rupture et du gouffre qui les sépare désormais de leur fils ou de leur fille.

Pour autant, tous les jeunes djihadistes ne sont pas dans la rupture et le clivage par rapport à leur famille, leur milieu. Au contraire, certains s'inscrivent dans une continuité. Lorsque, en 2012, Mohammed Merah assassine sept personnes dont trois enfants juifs, sa sœur le félicite et le traite en héros. Dès leur plus jeune âge, ils ont été élevés dans la haine de la France, nation colonisatrice contre laquelle il fallait continuer la guerre, le fils agit donc en conformité avec les valeurs familiales avec lesquelles il n'a pas pris de distance.

À l'autre extrémité du spectre des jeunes qui se radicalisent, il y a des enfants issus de familles et de groupes sociaux laïcs, sans culture religieuse particulière et sans aucun rapport avec les mouvements salafistes. Le détachement nécessaire du milieu d'origine conduit à une adhésion totale à une croyance qui abrase toute revendication identitaire. Quel événement, quel trauma, dans leur trajectoire, ont-ils pu préparer cette rupture ? De quoi est-elle le symptôme ? Étrangers parmi les leurs qu'ils ne reconnaissent plus comme tels, les jeunes radicalisés trouvent une autre famille, se figent dans la certitude d'une Vérité qui scinde le monde en deux de manière irrémédiable. Il est loin le temps d'Aragon chantant l'entente de « celui qui croyait au ciel et celui qui n'y croyait pas », la Résistance transcendant les clivages religieux. La radicalisation, c'est la fin du clivage, du jeu psychique qu'il permet, de la possibilité de passer d'une croyance à l'autre dans ce mouvement d'aller-retour dont toute vie est faite.

À cet égard, le témoignage récent d'une enseignante de collège de Marseille est tout à fait passionnant. Elle évoque l'école comme « le lieu de la dissociation ». « Bien des jeunes suivent leurs cours, apprennent, travaillent en silence, ne crient pas "Je ne suis pas Charlie", mais paraissent pourtant comme dissociés. On constate que, dans une certaine quiétude, on apprend la théorie de l'évolution, on découvre les œuvres d'art les plus avant-gardistes, on va en éducation physique et sportive, on lit Voltaire, on étudie la Shoah, on assiste à une séance de théâtre-forum sur l'homophobie, on lit le règlement intérieur dans lequel il y a mention du planning familial et de la possibilité d'avorter sans en informer ses parents, et cela ne crée pas de discussion, de conflictualité, d'opposition. Comme s'il s'agissait d'un espace désincarné, identifié comme celui des autres, comme si on allait, tel qu'on le dit dans l'Afrique post-coloniale, à l'école des Blancs[1]. »

La dissociation décrite par cette enseignante se fonde sur un clivage total entre le dedans et le dehors, le chez-nous et le chez-eux, le nous et les autres. Peu importe au fond ce qui se passe au-dehors, chez les autres, ce monde et ses valeurs n'ont pas de prise, ne font pas trace, n'interrogent pas, formant comme un décor dans lequel les jeunes évoluent sans prendre la peine de le regar-

---

1. Nathalie Broux, « L'école des malentendus », in Fethi Benslama, *L'Idéal et la cruauté*, Éditions Lignes, 2015.

der. Le « chez-nous » est la seule référence qui fonde leur identité et dispense de tenir compte de ce qui est proposé par ailleurs. Nul besoin de contester le dehors, avec sa démocratie, son égalité des sexes… puisque de retour chez soi, chez nous, le monde retrouve d'autres couleurs et d'autres valeurs auxquelles on adhère sans sourciller parce qu'elles assurent la cohésion du groupe et l'étayage de ses membres : les femmes se voilent et se soumettent, les hommes sont considérés comme supérieurs, l'homosexualité est un crime, l'homme est une création de Dieu…

Cette dissociation « radicale », si elle ne fait pas forcément le lit de la violence et du djihadisme, demande à être pensée comme le signe d'une rupture sociétale préoccupante. Mais tous les jeunes qui se radicalisent posent à leur manière la question du clivage entre chez nous et chez eux – une question d'origine et d'appartenance à laquelle il n'est pas toujours facile de répondre. Bon nombre sont à la fois d'ici et d'ailleurs, dans un mouvement permanent entre deux cultures (ou plus…), deux histoires, deux traditions, deux systèmes de valeurs et de croyances, source de richesse mais aussi d'insécurité. « Je ne sais plus où j'habite », disent souvent les adolescents pour exprimer tout à la fois la perte de repères, l'instabilité, le flottement, les doutes et les interrogations propres à leur âge. La radicalisation et le groupe qui l'orchestre leur offrent un chez-soi/chez-nous qui les met à l'abri de tous leurs tourments existentiels et où ils trouvent des réponses aux attentes et aux exigences de leur âge, sans plus besoin de les chercher par eux-mêmes.

Dans leur très grande majorité, les jeunes qui sont embrigadés n'ont pas, au départ, le désir de se « radicaliser ». Ils entendent un discours qui fait sens pour eux, commencent à fréquenter la mosquée, se convertissent, adhèrent à un groupe de gens comme eux, en quête identitaire, mais ignorent souvent que ce groupe est relié à des têtes pensantes qui ne se montrent pas pour mieux les manipuler de l'extérieur.

Les premiers pas se font par une rencontre dans le réel, la distribution d'un tract, une conférence, la lecture d'un ouvrage recommandé, le conseil d'une « autorité », la sollicitation d'un proche – une appétence pour une sorte de contre-culture, qui porte en elle la promesse d'une certaine subversion.

De plus en plus souvent, le recrutement se fait aussi de manière virtuelle. La démarche des rabatteurs tend à repérer un sujet « fragile » qu'ils vont peu à peu isoler de son environnement habituel. Ici, le groupe n'existe pas « matériellement », il est incarné par un seul personnage, et le lien d'inféodation se fait progressivement via le rabatteur, représentant et garant des qualités et valeurs de ce groupe omniscient et tout-puissant.

La différence entre réel et virtuel est-elle encore pertinente ? Les jeunes générations, biberonnées aux jeux vidéo, élevées avec les réseaux sociaux et le surf sur Internet, ne semblent plus sensibles à cette différence et leur adhésion au groupe « invisible », « immatériel » n'est pas moins entière que celle des bandes qui se retrouvent en bas des immeubles, les partages relationnels et émotionnels y sont aussi forts… L'imaginaire pouvant se déployer sans se heurter à la réalité de la frustration, du conflit, du corps à corps, sans doute le fantasme est-il encore plus envahissant. Car cette appartenance fantasmée à un groupe se révèle bientôt plus prenante que la réalité. Grâce aux réseaux sociaux justement, le lien avec le groupe – ou son représentant – ne s'interrompt jamais. Ainsi, les trois jeunes femmes qui avaient fomenté l'attentat contre la basilique de Notre-Dame à Paris ne s'étaient jamais rencontrées, pas plus que leur rabatteur en Syrie, et n'avaient tissé que des liens virtuels. À toute heure du jour et de la nuit, un tweet, un texto, un post viennent circonscrire l'espace des jeunes recrues, imposant peu à peu des règles de vie basées sur l'interdiction et une ritualisation plus contraignante de la vie quotidienne. Ces rapports inquisiteurs place les jeunes sous surveillance : le groupe sait tout, voit tout, face à lui ils ne peuvent avoir aucun secret et doivent s'y donner entièrement, sans réserve. Tout ou rien, pas de demi-mesures possible, voilà un langage qui parle à l'adolescent épris d'absolu. Cette prise en mains/prise en charge de tous les instants tend à accentuer les ressemblances à l'intérieur du groupe, solidifiant ainsi l'appartenance et la distinction avec la masse indifférenciée des « autres », ceux qui n'en sont pas et ne méritent pas de vivre.

En proie à ce harcèlement déguisé en attention et en soutien de tous les instants, le psychisme individuel tend à se dissoudre entièrement sous l'autorité d'un tiers qui surpasse tous les autres. C'est là qu'intervient ce qu'il faut bien appeler la déshumanisation – puisque l'humain, c'est l'individu dans sa singularité, doué de sa conscience propre qui lui permet d'accepter ou de refuser ce qu'on lui propose, afin de choisir ses appartenances et de pouvoir émerger de la masse groupale en protégeant son individualité.

En plus du harcèlement qui isole le jeune, le virtuel développe aussi une vison complotiste et binaire du monde où tout se joue en termes de vrai ou faux, créant un fond de paranoïa généralisée. Notons qu'il s'agit là d'une tendance lourde de nos sociétés démocratiques devenues, parfois à juste titre, de plus en plus méfiantes (les responsables nous mentent, les lobbies industriels nous manipulent et nous empoisonnent, les médias, à la solde des puissants, font de la désinformation, la théorie du complot ayant éclaté au grand jour le 11 septembre 2001, la destruction des Twin Towers étant une mise en scène imaginée par les Américains eux-mêmes) et qui fonctionne sur des oppositions permanentes : vrai ou faux, bon ou mauvais, pour ou contre, eux ou nous, eux ou moi… Ce « ou » qui ferme et exclut remplace le « et » qui ouvre des possibilités et met en relation, emportant sur son passage la nuance, la subtilité, le questionnement.

Le décryptage complotiste des informations crée un véritable « style paranoïaque » : tout ce qui arrive est le résultat d'intentions ou de volontés cachées, rien n'est tel qu'il paraît être, tout est lié, mais de façon occulte. La logique du complot devient la force motrice de l'Histoire, il s'agit d'en découvrir les secrets pour accéder à une explication totale et donc rassurante du monde qui nous entoure, dans un contexte de méfiance, voire de haine populiste des élites. Ces croyances concordent avec la sémiologie du délire paranoïaque fondé sur une intuition délirante à l'origine d'interprétations de plus en plus éloignées de la réalité.

On ne naît pas fanatique, on le devient ! De fait, on peut constater depuis toujours dans l'histoire des sociétés humaines de multiples irruptions et manifestations de fanatisme religieux, nationaliste, idéologique. Si les motivations et les personnalités de départ de chacun peuvent être très différentes, les terroristes finissent avec une structure mentale commune : on devient fanatique en s'enfermant dans un système clos et illusoire de perceptions et d'idées sur le monde extérieur et sur soi-même.

Edgar Morin[1] souligne les modes pervers de connaissance indispensables à la formation de tout fanatisme, comme la réduction, qui est cette propension de l'esprit à croire connaître un tout à partir de la connaissance d'une partie, apparence, couleur de peau, ethnie, milieu social, religion… La personne est alors réduite au pire, ou au meilleur d'elle-même. Le manichéisme découle du réductionnisme, il oppose le Bien absolu au Mal absolu, divise le monde en bourreaux et victimes. Il s'agit alors par tous les moyens de frapper les suppôts du mal. Un autre élément est la réification : les esprits d'une communauté sécrètent des idéologies ou visions du monde, comme elles sécrètent des dieux, qui prennent alors une réalité formidable et supérieure. L'idéologie ou la croyance religieuse, en masquant

---

1. Edgar Morin, « Éduquer à la paix pour résister à l'esprit de guerre », *Le Monde*, 7 février 2016.

le réel, devient pour l'esprit fanatique le vrai réel. Le mythe, le dieu, bien que sécrétés par des esprits humains, deviennent tout-puissants sur ces esprits et leur ordonnent soumission, sacrifice, meurtre. Tout cela s'est sans cesse manifesté et n'est pas une originalité propre à l'islam. Il a trouvé depuis quelques décennies, avec le dépérissement des fanatismes révolutionnaires (eux-mêmes animés par une foi ardente dans un salut terrestre), un terreau de développement dans un monde arabo-islamique passé d'une antique grandeur à l'abaissement et à l'humiliation. Mais l'exemple de jeunes Français d'origine chrétienne passés à l'islamisme montre que le besoin peut se fixer sur une foi qui apporte la Vérité absolue.

L'esprit des jeunes est d'autant plus infiltré par cette pensée paranoïaque que le virtuel l'accentue. À partir d'un mot-clé sur un moteur de recherche, en quelques clics, les liens proposés tournent tous autour d'une seule et même idée, ne laissant plus aucune place à la discussion et venant renforcer les présupposés de départ. Il est possible par exemple de lancer une recherche un peu absurde comme « fin du monde prochaine » et de se retrouver dans un enchaînement incessant de liens qui vont tous dans le même sens. Aucune contradiction, ou si peu, puisqu'on peut zapper tout avis contraire et cliquer à nouveau pour se reconnecter à des gens qui pensent « pareil », tombant ainsi dans le piège de la dissonance cognitive.

Gérald Bronner le démontre bien dans son livre *La Pensée extrême*[1], le fonctionnement du Net est

---

1. PUF, 2016.

conçu pour nous amener à rejeter tout ce qui vient à l'encontre de notre hypothèse de base. La pensée, ou ce qui en tient lieu, ressassante, enfermante, stéréotypée, monolithique n'a plus besoin d'être objectivée.

La théorie du complot tend à se soustraire à la réfutation ; en effet, toute démonstration destinée à prouver qu'aucun complot n'est à l'œuvre sera interprétée comme une nouvelle tentative de tromper le complotiste qui, lui, continuera à chercher ce qui se passe dans l'ombre, et qu'on ne lui dit pas. Les explications officielles ou scientifiques établies par les pouvoirs publics et relayées par les grands médias d'information seront structurellement discréditées.

Pierre-André Taguieff[1] a identifié quatre grands principes de base des croyances conspirationnistes : « rien n'arrive par accident ; tout ce qui arrive est le résultat d'intentions ou de volontés cachées ; rien n'est tel qu'il paraît être ; tout est lié, mais de façon occulte. »

On peut aussi assister à un renversement de la charge de la preuve : c'est au tenant de l'explication admise de montrer qu'il n'y a pas eu complot, et les arguments qu'il profère peuvent passer pour des manipulations supplémentaires. La certitude préalable de l'existence d'un complot implique l'analyse de toute information et de tout fait au travers du prisme de cette théorie du complot. La logique du conspirationnisme tient avant tout à la manière dont les différentes données sont articulées entre elles. Tout réside dans cet agencement particulier qui est une interprétation de

---

1. *L'Imaginaire du complot mondial. Aspects d'un mythe moderne*, Mille et une nuits, 2007.

la réalité. On peut traiter d'événements authentiques sans que cela garantisse la véracité de la logique par laquelle on les relie entre eux.

Pour des adolescents qui ont davantage besoin de croyance que de vérification, Internet se révèle un puissant outil d'isolement et d'endoctrinement. À plus forte raison quand l'endoctrinement ne recule devant rien pour racoler. Certaines vidéos de propagande, dont la plus connue en France, « HH 19, l'histoire de l'humanité », ressemblent à s'y méprendre à une série de documentaires prétendant nous raconter l'histoire du monde et des religions. Sur fond de musique hypnotique, avec voix off persuasive, les images se succèdent à un rythme très soutenu qui ne laisse pas reprendre son souffle. Extraits de fictions, de journaux télévisés, de reportages, d'archives, de publicités s'entremêlent, se superposent, jusqu'à donner le tournis, entrecoupés de panneaux remplis de fautes d'orthographe mais au service d'une seule et même idée : nous sommes manipulés et le complot judéo-maçonnique va s'emparer du monde... L'on comprend que, devant pareils déferlements, bercés par des contre-vérités assénées et répétées comme des mantras, certains adolescents fragilisés puissent perdre leur esprit critique et se laisser convaincre qu'ils sont menacés. Pari réussi pour la propagande de Daesh, qui crée cette contre-culture dans le but d'isoler toujours plus l'individu de sa famille, de ses proches, puis de toute la société.

Sur le plan de la force de l'adhésion, de la création d'un collectif, le groupe virtuel n'a rien à envier au groupe réel. Il provoque même des identifications imaginaires beaucoup plus rapides et plus fortes que les relations sociales de la réalité puisqu'elles ne se heurtent jamais à aucun obstacle matériel. Internet permet en outre de se forger une identité autre que la sienne en un temps record : changer de nom, de corps, d'apparence, de destin, un peu comme dans un jeu vidéo. En quelques clics, on se jure amour et fidélité, amour à mort, engagement et sacrifice.

En revanche, en termes de maturation émotionnelle, corporelle, psychique, sexuelle, le groupe virtuel n'a pas les mêmes implications. La différence est la même qu'entre la masturbation devant un porno et l'acte sexuel agi avec un/e partenaire. Cela agite les mêmes fantasmes, reproduit certains gestes similaires mais, subjectivement, ça n'a rien à voir. Être en relation charnelle avec les autres, participer au collectif par l'action permet, à partir d'une émotion groupale, de sentir ses propres émotions, de savoir où est son désir, son plaisir, son émerveillement, sa colère, de se confronter à la frustration, au déplaisir, au conflit et à la discussion. Comment ne pas parler ici d'Ornella Gilligmann, impliquée dans l'attentat raté près de Notre-Dame ? Cette femme de 29 ans, mariée, mère de trois enfants, est tombée folle amoureuse d'un certain Abou Omar à l'été 2016. Passion fiévreuse qui la pousse à quitter son mari et à se marier religieusement… mais virtuellement avec Abou Omar qu'elle n'a jamais rencontré, jamais vu, jamais touché. En garde à vue, elle dira : « Je suis tombée amoureuse comme jamais. […] Et de son côté, c'était la même chose si ce n'est plus. » Déclaration qui prête à sourire quand on sait que Abou Omar n'a jamais existé et que c'est une jeune femme de 19 ans, Inès Madani, rouage essentiel de l'attentat raté, qui a joué le rôle de l'amoureux transi.

La technique de propagande et de recrutement par les réseaux sociaux s'avère d'autant plus redoutable que l'isolement qu'elle favorise fait perdre aux jeunes non seulement leurs repères de pensée propres et d'appartenance concrète, mais aussi leurs repères corporels et émotionnels. Ainsi se referme le piège d'une liberté virtuelle qui n'est qu'inféodation à des règles absurdes.

Il y a, dans l'adhésion à Daesh, des caractéristiques qui relèvent de l'addiction. Être dans le désir, c'est être dans le jeu, dans le mouvement, pouvoir se rapprocher et s'éloigner de l'objet de son désir sans être menacé de dissolution. Dans l'addiction, il n'est plus question de désir, mais seulement de besoin. Le sujet est collé à l'objet de son besoin, quel qu'il soit : drogue, alcool, sport, jeu… et ne peut s'en détacher sous peine de souffrir d'un manque insupportable. L'adhésion devient adhérence, il n'y a plus d'existence hors de cet objet d'une satisfaction imparfaite, éphémère qui redouble le besoin. Liberté, libre arbitre, jeu psychique ne peuvent plus s'exercer. Impasse de la pensée.

La force de la folie groupale

Le groupe se révèle aussi vital sur le plan de la croyance. Croire ensemble est en effet très différent de croire seul, la force des rituels communs servant à tisser une trame de relations humaines, un tissu social qui donne de la sécurité et du plaisir à vivre – nous y reviendrons. Mais lorsque le groupe vire à la secte, les dérives au nom de la Vérité favorisent la fusion de l'individu dans le groupe, dans un esprit de corps qui estompe les différences… et l'esprit critique. La conscience individuelle se dissout, favorisant l'adhésion sans aucun recul à une pensée commune, une unité mentale.

Freud le soulignait en son temps : la foule permet la régression psychique des individus au profit de la masse, diminue la répression des tendances inconscientes, fait disparaître les inhibitions morales, l'instinct et l'affectivité s'expriment alors plus intensément. Les valeurs archaïques et les traditions remplacent la raison, les individus agissent uniformément sans se concerter (« L'objet s'est mis à la place de l'idéal du Moi »)[1]. La masse se caractérise par l'irritabilité, la crédulité, l'absence d'autocritique, le dogmatisme, l'intolérance, la confiance aveugle dans l'autorité. Elle donne toujours la priorité à l'irréel, aux illusions. Toute foule est primitive, infantile, potentiellement dangereuse et incontrôlable.

Tout groupe possède une puissance d'auto-entraînement parfois mise en acte dans des débordements incontrôlés – certaines échauffourées de bandes de supporters l'illustrent tristement. Mais, même latente, cette violence est sporadique, liée à des événements particuliers. Les supporters modérés et les anti-foot les condamnent à juste titre, mais il me semble qu'on soupçonne mal la puissance du groupe et sa capacité à transformer un être « normal » en une sorte de monstre.

Un voyage dans le Rwanda post-génocide a définitivement modifié ma perception de ce que peut être la folie

---

1. Sigmund Freud, *Psychologie des foules et analyse du moi*, Payot & Rivages, 2012.

groupale et la rigidification du clivage à laquelle elle conduit, remarquablement rapportée par Jean Hatzfeld dans les différents livres qu'il a consacrés à ce sujet[1]. Il faut imaginer un pays dans lequel les deux ethnies, Hutus et Tutsis, se côtoyaient, se mêlaient, se mariaient, faisaient des enfants… Et en un éclair de temps, moins d'une année, tout a changé : une propagande implacable a transformé les Tutsis en cafards menaçants, fomentant de noirs desseins envers les Hutus qui devaient donc se défendre et tuer avant de se faire tuer. Et voilà que les Hutus les plus pacifistes se sont retrouvés à prendre la machette pour égorger, tuer, massacrer, torturer leurs voisins, leurs amis, leur médecin, leur professeur, parfois les membres de leur propre famille. Ils ne se posaient pas de questions, ils obéissaient. Le matin, ils embrassaient femme et enfants, partaient accomplir leur horrible besogne, et rentraient le soir pour boire tranquillement une bière ou deux avant de se coucher… avec le sentiment du devoir accompli.

La place de la valeur accordée à autrui est progressivement éliminée. Dominent le mépris et le dégoût puis la colère, qui vont être précurseurs de passages à l'acte violents. L'autre est progressivement dévalué puis, au fur et à mesure, « il n'y a plus besoin d'échanger puisque l'autre a tort[2] ». Du reste, il n'est plus un humain. L'impulsion première, vis-à-vis de l'objet dégoûtant, est de l'éliminer. L'idéologie terroriste utilise des méthodes rhétoriques qui délégitiment les cibles de violence en

---

1. Voir notamment : *Dans le nu de la vie, Une saison de machettes, La Stratégie des antilopes* (Le Seuil, 2002, 2003, 2007).

2. *Ibid.*

les présentant comme des infrahumains (« porcs », « vermines », « infidèles »). La destruction de l'ennemi est la seule option valable afin de se défendre.

L'emprise sectaire est un « abus de transfert », comme la relation qui s'instaure entre certains gourous et leurs adeptes, mais aussi entre certains escrocs et leurs victimes, certains thérapeutes dévoyés et leurs patients. Ils savent transformer l'idéal blessé en idéal de haine. Ce n'est qu'une longue chaîne de processus qui va rendre compte de la construction d'un destin terroriste, et non la simple rencontre d'une prédisposition et d'une occasion. La vie d'avant, ce peut être l'échec existentiel, le ressentiment, la blessure d'idéal, le désespoir, l'impasse, la vacuité du sens, la crise identitaire. Cette vie d'avant doit être sacrifiée, reléguée à un passé révolu. La rencontre avec le sens, le partage d'objectifs et d'idéaux, le grandiose héroïque, s'accompagne de la soumission à un destin collectif et de l'abandon de toute visée individuelle. Il faut ordonner et reconstruire le passé selon le prisme de la conviction centrée sur l'utopie totalitaire. Sous l'égide d'un guide extérieur, le futur terroriste devient un mélange de stratégie et d'irrationnel, de sang-froid et de haine. La force du clivage intérieur est considérable, et peut également permettre un art consommé de la dissimulation. Combien de témoignages de voisins atterrés, de collègues ou de professeurs médusés avons-nous entendus ces derniers temps ! « C'était un jeune sans histoires », « Jamais nous n'aurions pu soupçonner… », etc.

Les valeurs antérieures vont devenir des non-valeurs. C'est un deuil de soi qui s'instaure. Le travail de déshumanisation, d'endurcissement, de chosification des cibles, d'inversion des valeurs, y contribue. « Ils ont transformé mon fils en monstre. » Plus il sera regardé comme cruel, plus il sera renforcé dans sa conviction d'accomplir sa mission. L'horreur qu'il provoque le raffermit. La cruauté extrême est la marque de la toute-puissance de la cause divine qu'il sert, et la preuve de l'insignifiance de ses victimes.

Dans cette folie générée par le groupe, quelque chose toujours nous échappe. Il est facile de jurer la main sur le cœur que, soi-même, on ne tomberait jamais dans de tels extrêmes, mais dans le fond il est impossible de savoir quelle attitude serait la nôtre en cas de menace supposée. Bien sûr, nous ne sommes pas tous également enclins à la fanatisation et à la paranoïa, pour autant nul ne peut affirmer qu'il ne pourra jamais s'y fondre. À quel moment est-on persuadé qu'on n'a plus d'autre choix que de participer à la folie groupale, à plus forte raison quand elle promet la purification, la régénération, avec le salut en ligne de mire, dans un paradis éternel et une félicité sans éclipse ?

L'apparition des « loups solitaires »

« Si vous pouvez tuer un incroyant américain ou européen – en particulier les méchants et sales Français – [...] alors comptez sur Allah et tuez-le de n'importe quelle manière [...]. Frappez sa tête avec une pierre, égorgez-le avec un couteau, écrasez-le avec sa voiture, jetez-le d'un lieu en hauteur, étranglez-le ou empoisonnez-le. » Ainsi s'exprime le porte-parole de l'État islamique aujourd'hui disparu, Abou Mohamed Al-Adnani, avant de conclure : « Agissez seul. »

Cette injonction à agir seul n'est pas une négation du groupe, mais un moyen de rallier et surtout d'utiliser à peu de frais des individus solitaires ayant un profil psychiatrique avéré. Ceux-là vont trouver dans le passage à l'acte une issue à leur désorganisation intérieure.

Classiquement, la nosographie psychiatrique a toujours cherché à distinguer le « véritable » terroriste du « loup solitaire », l'assassin dément qui ne cherche aucunement à changer la société, mais dont les motivations sont purement personnelles, idiosyncrasiques, de nature le plus souvent délirante, motivations dont Anders Breivik, ce fanatique d'extrême droite qui a assassiné 77 jeunes gens en Norvège, ou le pilote fou de la Germanwings, Andreas Lubitz, nous ont laissé le sinistre souvenir. C'est parmi ces auteurs solitaires que l'on retrouve la plus grande proportion de graves pathologies mentales : ainsi l'homme qui avait renversé 13 piétons en décembre 2014 à Dijon au cri de « *Allah akbar !* » (« Dieu est grand ! ») était un malade ayant déjà fait plus de 150 séjours en unité psychiatrique, mais sans le moindre lien avec un réseau extrémiste.

Nous avons ainsi eu à nous occuper d'Amir, dont la vie a été grevée de traumatismes. Son père, toxicomane, est mort quand il avait 2 ans et, quelques années plus tard, sa mère l'a abandonné à sa famille paternelle, avant de revenir le chercher. Amir a alors 16 ans, se débrouille bien scolairement, mais soudain tout bascule et, en deux semaines, des signaux alarmants d'une décompensation apparaissent : notamment une conduite compulsive dont il ne dit rien, qui le voit s'échapper de manière répétitive pour aller dans un supermarché, voler un désodorisant et l'inhaler par la bouche. Son discours est désormais émaillé de références à un « nous » musulman contre le « vous » de tous les autres, montrant un clivage important. Au-delà encore, Amir prétend parler l'hébreu et l'araméen, tient des propos hermétiques et délirants qui, associés à son contact étrange, laissent supposer une pathologie psychiatrique.

Dans ce cas, une prise en charge s'impose, mais l'on se demande si la radicalisation affirmée subsisterait une fois le délire retombé.

La même question se pose à propos des auteurs des attentats d'Orlando et de Nice. Tout semble indiquer qu'il s'agit de personnalités paranoïaques, déjà radicalisées mentalement dans l'idéologie du complot, du moi contre eux, en proie à la mégalomanie d'un destin exceptionnel sur fond de violence quotidienne envers l'autre, toujours considéré comme un ennemi potentiel.

Le discours fanatique où se mêlent Vérité et toute-puissance trouve un écho dans leur univers mental désorganisé, et ils partagent la même lecture paranoïaque du monde.

Rappelons que paranoïa vient du grec *para* et *noos*, signifiant « à côté de l'esprit ». La personnalité paranoïaque est méfiante, sans cesse menacée et persécutée par des inconnus ou même son entourage. Tout geste, tout comportement, toute parole sont réinterprétés, remoulinés à travers le prisme déformant de son psychisme. Un danger, réel ou imaginaire, peut la mettre hors d'elle. En proie à la jalousie et à un délire de grandeur, elle risque le passage à l'acte violent, comme nous l'a montré l'actualité de ces derniers mois.

À propos du tueur de Nice, le juge Trévidic parle de « terrorisme pulsionnel ». Pour ma part, j'y vois un « terrorisme passionnel », à la limite du terrorisme et de la pathologie mentale. Comme l'analysait Freud dans le célèbre cas du président Schreber : « Les paranoïaques aiment leur délire comme ils s'aiment eux-mêmes, voilà tout le secret. »

Le discours djihadiste flatte la mégalomanie du sujet en lui offrant une issue grandiose, à sa mesure : le paradis et la célébrité tout ensemble, le pouvoir et le plaisir infinis, onguents passés sur son amour-propre.

Si djihadisme et pathologie mentale se confondaient toujours, les choses seraient peut-être plus simples, mais cela ne s'avère pas. Ni Pauline, ni Jean, ni d'autres que nous avons suivis ne sont fous. En revanche, l'injonction à agir seul semble une voie royale pour les personnalités paranoïaques qui forment ce que l'on peut appeler le terrorisme de troisième génération. Une pseudo-radicalisation leur sert de tremplin ou de détonateur pour basculer et passer à l'acte. Elle offre à ceux qui auraient pu finir forcenés de village tuant leurs proches avant de se suicider le destin plus glorieux de monstre semant la terreur à l'échelle d'un pays.

3

Besoin de croire et quête de sens

À une vision « de gauche », celle de la frustration sociale – ratés de l'intégration, enfants déshérités, originaires de ghettos communautaires qui deviennent les proies de prêcheurs de haine, jeunes qui cherchent une issue dans un islam fantasmé –, s'oppose une vision « de droite » qui va stigmatiser les immigrés refusant de s'intégrer, les délinquants, la « mauvaise graine », la déliquescence de la famille ou de l'autorité paternelle. Chacun sait aujourd'hui que dans cette guerre mondialisée qui s'appuie sur un terrorisme international peuvent se côtoyer deux voyous passés par la prison et un jeune diplômé en électronique, élève sans histoires du lycée Sainte-Famille à Bruxelles, quand il ne s'agit pas d'un fils de banquier nigérian. La logique binaire du salafisme, en radicalisant la différence entre le terrestre profane et l'au-delà sacré, en établissant la prééminence des lois divines sur les lois d'ici-bas, amène à une rupture d'avec un système antérieur de valeurs et de croyances pour instaurer une idéologie porteuse d'idéaux, de transcendance, d'espérance, une idéologie qui devient le moteur de l'action. Si l'islamisme n'est pas l'islam, il s'en réclame (c'est, comme le rappelle Jean Birnbaum[1], la grave question du nom que pose Derrida) : « au nom de l'islam ». Or la quête spirituelle n'est pas un voile qui masque le réel, une régression obscurantiste, mais un élan vital, un mode d'être au monde, une décision radicale qui peut devenir une puissance politique autonome. Il est beaucoup plus difficile de se pencher sur le mystère de la quête spirituelle, la quête de transcendance, du sacré, de la passion religieuse. Ce qui rassemble « au nom de l'islam » n'est pas purement social, culturel, psychologique ou politique, mais une curieuse combinaison de tous ces ingrédients qui vont plus ou moins intervenir dans la trajectoire singulière de tel ou tel aspirant au djihad, dans cette captation, cette « aimantation » par le discours radical, ces révélations prophétiques portées par les versets du Coran. La vie sur terre prépare à la vie dans l'au-delà. La démocratie, qui se fonde sur la prééminence des lois terrestres sur les lois divines, n'a plus de sens. Mais on aurait tort de confondre la prééminence de la mort sur la vie avec des conduites nihilistes, autodestructrices ou suicidaires. Il y a rupture avec un système de valeurs antérieur pour aller vers un autre système de valeurs porteur d'espérance. Il y a une quête de justice, le fantasme d'être un sauveur. La seule espérance qui mobilise les jeunes aujourd'hui est cette espérance radicale, universaliste, qui remplace les idéaux plus anciens comme le marxisme. D'autres vont savoir convertir cette espérance en haine. L'islamisme est totalitaire car il est

---

1. Jean Birnbaum, *Un silence religieux*, Le Seuil, 2016.

tout à la fois sacré, social, politique et économique, il a réponse à tout et la justice divine garantit la promesse d'un monde parfait.

Bien des jeunes radicalisés croient « en toute bonne foi » qu'ils vont sauver le monde en se sauvant eux-mêmes. Que la voie radicale est la seule possible. Que le monde est mauvais et complote contre eux. Que leur combat est juste et vise à apporter la paix sur terre, fût-ce au prix des pires atrocités. Mais quand il n'y a plus de place pour le doute, le questionnement, l'hésitation, la mise à distance, peut-on encore parler de croyance ?

La crise d'adolescence est une crise d'idéal, marquée par le besoin de croire et le désir de savoir. Qui suis-je ? Où vais-je ? Est-ce que je mérite de vivre ? La vie a-t-elle un sens ?… Les questions existentielles occupent le psychisme tandis que, tout autour, « l'ancien monde » semble vaciller. Basculement des repères de l'enfance, mise à mal des figures d'autorité, remise en question des valeurs inculquées, l'adolescence est une révolution nécessaire portée par la quête de dépassement – de soi, des générations précédentes – pour permettre l'émergence d'un sujet autonome, affermi dans son identité. La destruction inévitable débouche sur une réparation, presque une reconstruction, la croyance en ce qui constitue les fondations. Qui croire ? Que croire ? C'est toute la question.

Croire est le mécanisme psychique essentiel qui nous permet de penser, aimer, partager, vivre ensemble.

L'enfant croit ce qu'on lui dit. Si les adultes affirment qu'il fait froid au pôle Nord, que les dinosaures ont disparu, il y croit aveuglément, sans besoin de vérifier ce qu'on lui raconte, et cette croyance est vitale parce qu'elle fonde la confiance et confère la stabilité au monde dans lequel il évolue.

Il n'empêche que, en grandissant, l'enfant devient moins crédule – et c'est bon signe ! Il découvre même qu'il peut dire quelque chose et en faire une autre, faire passer pour vraie une chose dont il sait qu'elle est fausse sans que ses parents s'en aperçoivent ; c'est le mensonge, premier acte fondateur de différenciation : l'enfant n'est pas transparent, confondu aux adultes qui ne peuvent pas lire dans ses pensées, il possède un espace psychique qui lui appartient et signe son existence subjective. Tant pis pour le sentiment de culpabilité engendré par l'impression de trahir, ou de ne pas bien faire, la conquête de son autonomie psychique est à ce prix et exige quelques sacrifices…

De leur côté, les parents ne se privent pas de raconter des histoires et fomenter des complots. Le premier complot se dissimule dans la barbe du Père Noël, incroyable bonhomme surgi de nulle part sur un traîneau tiré par des rennes et qui passe par les conduits de cheminée même quand il n'y en a pas. L'enfant finit par découvrir la supercherie… et s'il est déçu, la déception est vite compensée par le sentiment d'être « un grand » et de partager un secret avec les adultes. Peu importe au fond que le Père Noël n'existe pas, l'essentiel est qu'il a permis de jouer ensemble. Les parents qui y avaient cru petits et l'enfant qui y croyait ont partagé une histoire transmise de génération en génération et relayée par beaucoup, se sont émerveillés du bonheur de croire « pour de vrai » et/

ou de « faire comme si », et la confiance n'est pas entamée pour autant. Car la confiance n'est pas dire le « vrai » mais le juste, et les histoires que l'on raconte permettent de s'accorder, un peu comme un orchestre où chaque instrument différent joue à l'unisson des autres. La justesse est plus importante que la vérité car c'est elle qui fonde la confiance. Mais dans le cas où des parents seraient assez pervers pour faire de l'existence du Père Noël une vérité indiscutable, et menacer l'enfant des pires maux s'il venait à la mettre en doute, la famille deviendrait une secte.

L'histoire du vieillard à la barbe blanche est moins anecdotique qu'il y paraît : elle souligne que notre psychisme se construit aussi à partir d'histoires, de mensonges et de complots, et découvre peu à peu, au fil de son développement, que de nombreuses choses ont un sens caché, double, complexe. Mais ces mécanismes naturels et nécessaires peuvent être falsifiés, pervertis, et utilisés non pas pour l'enfant mais contre lui.

L'adolescent, qui doit déconstruire le monde pour en construire un nouveau, se retrouve un peu à l'état de bébé sans défense et se révèle particulièrement sensible aux croyances qu'on peut lui proposer et qu'il prend pour argent comptant, sans plus exercer d'esprit critique. Dolto comparait l'adolescent à un homard en pleine mue, qui se retrouve nu, à vif, sans défense. L'adhésion aux promesses mensongères de Daesh et la redoutable habileté déployée par ses rabatteurs finissent par remplacer la croyance par la conviction de détenir la Vérité, unique, incontestable. Il n'y a plus de place pour le doute et l'anxiété qu'il fait naître,

173

l'adolescent ne croit plus, il sait. Et cette certitude est une carapace bien étanche pour se mettre à l'abri des tourments propres à son âge.

L'adolescent est un « croyant » et un « idéaliste ». Il est même possible d'affirmer que, structurée par l'idéalisation, l'adolescence est une maladie de l'idéalité. Le jeune croit en effet que la satisfaction absolue des désirs existe, que l'objet d'amour idéal est à portée de main, que l'instant peut durer et se métamorphoser en éternité. Le paradis est avant tout une création d'adolescent amoureux[1].

Mais puisque la réalité n'est jamais à la hauteur de son désir, puisque la relation d'objet idéale se révèle impossible, puisque toujours l'autre déçoit, la passion se mue en rancœur et laisse apparaître un désir de vengeance, l'adolescent pouvant alors verser dans la délinquance. À moins qu'il ne retourne la vengeance contre lui-même qui a failli, se punissant par des mutilations, des conduites à risque ou toute autre attitude autodestructrice.

La révolution radicale se joue en termes de « tout ou rien », ignorant la nuance, la demi-mesure et la tiédeur. La quête exigeante de l'inaccessible étoile flirte sans cesse avec le nihilisme. L'adolescence se déroule sur un fil et l'équilibre, toujours précaire, menace de vaciller entre deux extrêmes, deux abîmes. La quête d'idéal se double pour certains de ce « furieux désir de sacrifice » dont parle Fethi Benslama. À ceux-là,

---

1. Julia Kristeva, « L'adolescence, un syndrome d'idéalité », conférence donnée à la Société psychanalytique de Paris le 8 février 2010.

« la radicalisation offre un idéal total, une mission héroïque au service d'une cause sacrée ».

On l'a dit, et il faut le répéter, les jeunes qui se radicalisent ont des origines et des parcours très différents. Et n'ont sans aucun doute pas les mêmes motivations pour faire allégeance au groupe État islamique. À ceux qui ont une revanche à prendre sur une société qui les laisse à la marge et ne leur offre aucune perspective, le martyre et le sacrifice promettent une sortie de l'anonymat et une célébrité faisant office de gloire qui vient venger l'insignifiance de leur vie.

À ceux des milieux plus aisés, qui ne sont pas en situation d'échec, Daesh fait miroiter tout ce dont peut rêver un adolescent : aventure, romantisme révolutionnaire, possibilité de s'éprouver et expérience d'une altérité empreinte de religiosité. À travers les rabatteurs, c'est Dieu lui-même qui les distingue et les reconnaît comme « élus », différents de la masse des autres, preux chevaliers, héros sans peur, décidés et sûrs d'eux, prêts à donner leur vie dans le combat pour la Justice et la Vérité. La radicalisation comble la quête de sens en même temps qu'elle dispense de chercher.

Conversion n'est pas synonyme de radicalisation

Toutes religions confondues, le nombre de conversions connaît une hausse constante depuis quelques années, phénomène qui traduit sûrement tout à la fois une quête de sens et de valeurs éthiques, un besoin de cadre, de croyance commune et de soutien.

La conversion à l'islam de leur adolescent est devenue un thème récurrent de consultation de la part de parents paniqués, comme si cette conversion portait en elle l'ombre de la radicalisation et de la barbarie.

Les attentats perpétrés par des djihadistes se réclamant abusivement de l'islam ont contribué à jeter le discrédit sur tous les musulmans, les mesures sécuritaires visant principalement les mosquées ou les personnes liées à l'islam fondamentaliste. L'idée s'ancre peu à peu dans les esprits qu'il y aurait un lien de causalité inévitable entre religion musulmane, radicalisation religieuse et djihadisme. Or les fondamentalistes sont eux-mêmes dans le viseur de Daesh et les terroristes n'ont souvent que des liens très ténus avec cette organisation. Les enquêtes ont ainsi révélé que les auteurs des attentats de Bruxelles, et certains de ceux de Paris, n'avaient pas le comportement exemplaire prôné par les fondamentalistes. Sans tomber dans l'angélisme, ni dénier les responsabilités de chacun, il faut absolument se garder de tirer des conclusions trop rapides. La conversion à l'islam ne mène pas forcément à la radicalisation allant du salafisme vers le djihadisme. L'enchaînement des liens de cause à effet est à peu près équivalent à celui qui consiste à affirmer que fumer un joint conduit inéluctablement à l'héroïne.

De nombreuses familles viennent ainsi nous consulter, souvent adressées par le numéro vert de la préfecture, affolées par la conversion d'un de leurs enfants. Mais la très grande majorité de ces jeunes convertis ne se reconnaissent en aucune manière dans les flambées de violence meurtrière orchestrées par et au nom de

Daesh. Ainsi Juliette, convertie à l'âge de 16 ans, voilée, qui vit avec un musulman et travaille auprès d'enfants. Fille d'un couple flamboyant – le père, italien, est un homme d'affaires charmeur, la mère d'origine anglaise, toujours prête à s'émouvoir du malheur du monde, s'engage dans différentes associations caritatives, ni l'un ni l'autre n'ayant la moindre conviction religieuse –, Juliette a eu une vie choyée malgré son incontestable investissement émotionnel dans le divorce passionnel de ses parents. Vers l'âge de 13 ans, elle se jette tête baissée dans l'adolescence, en embrassant tous les excès : alcool, haschich, fêtes… Elle découvre l'islam par une copine, lit, rencontre des gens, décide de se convertir, avant de rencontrer son compagnon avec qui elle vit.

Quatre ans plus tard, les parents n'acceptent toujours pas sa conversion, persuadés que leur fille est manipulée. Or rien chez Juliette ne permet de s'alarmer. C'est une jeune femme épanouie, active, qui assume ses choix, aime rire et vivre, se sent bien dans la religion musulmane dans laquelle elle a trouvé un apaisement, un cadre stable et rassurant.

Les parents, eux, n'arrivent pas à la croire. Ils se sentent trahis, sans doute malheureux de n'avoir pas réussi à transmettre leurs valeurs à leur fille unique – sentiment d'échec qui vaut pour tous les parents dont les enfants se convertissent à une religion différente de la leur, ou choisissent la voie de l'intégrisme. Dans la plupart des cas, les adolescents trouvent dans la conversion l'occasion d'une décision personnelle, une affirmation de soi, et la possibilité de construire leur propre univers, souvent en opposition avec celui de la famille. Se repère à nouveau ici le désir de sortir de l'emprise familiale et de s'extraire d'enjeux identitaires qui entravent l'autonomie. Face à trop de famille, ou à des familles en souffrance, déchirées, décomposées plus que recomposées, la conversion offre une voie de sortie et d'apaisement qui s'avère structurante pour le jeune – c'est en tout cas ce que nous pouvons observer lorsque les parents traînent leur adolescent converti en consultation.

Néanmoins, il convient de rester vigilant, la solidité de la famille et sa capacité à se mobiliser étant le meilleur moyen de laisser l'adolescent/e vivre sa religion sans basculer dans les excès. L'opprobre et le rejet ne sont d'aucun secours, venant au contraire verser de l'eau au moulin des fanatiques qui aiment à se présenter en victimes persécutées par les mécréants. Montrer du doigt, stigmatiser, rejeter, c'est faire le jeu de Daesh qui veut faire croire à une « guerre de civilisations », à un monde irrémédiablement divisé en deux, les bons croyants persécutés et les mauvais mécréants persécuteurs, sans espoir de salut pour les seconds qui, faute de conversion radicale, ne méritent que la mort. Cette « guerre des civilisations » à l'échelle d'une famille peut engendrer des dégâts lourds de conséquences pour les plus fragiles.

Donner du sens

Comment ne pas s'interroger sur le « succès » remporté par les discours des radicalistes ?

S'ils rencontrent un tel écho auprès des jeunes d'Europe, français notamment, c'est sans doute qu'ils viennent combler une faille, un manque, et apaiser un désarroi.

Difficile de contester que notre jeunesse souffre d'un déficit de sens. Ultra-libéralisme, matérialisme et consumérisme, disparition des grandes utopies, nos sociétés privilégient l'avoir par rapport à l'être, confondent célébrité éphémère et réussite, font de la possession une condition de l'épanouissement et sont bien en peine de répondre à la soif d'idéal des adolescents. Aucun élan ne porte plus le collectif, chacun se repliant sur un « bien-être » individuel peu enthousiasmant. S'ils réussissent, notamment sur le plan scolaire et social, certains s'en contentent ou tentent d'imaginer des solutions pour réenchanter le monde. Mais pour les autres, en situation d'échec, il n'y a parfois plus rien à perdre, et ils sont prêts à tout pour recouvrer la dignité et obtenir la reconnaissance.

L'anthropologue Alain Bertho parle de « rage sans espoir[1] », dont les racines seraient la déception, la désillusion, la corruption des pouvoirs, la perte de crédibilité de la parole politique et de toute parole d'autorité… Rage qui depuis le début des années 2000 s'exprime régulièrement à travers des mouvements, des émeutes, des affrontements civils que l'on s'empresse de minimiser pour mieux tenter de les oublier. Les uns adoptent un credo identitaire, nationaliste et xénophobe, d'autres se tournent vers l'islam radical, promesse de vie droite et bien ordonnée, placée sous

---

1. *Libération*, 24 mars 2016.

la direction et la protection du Prophète. Pour eux, dit encore Alain Bertho, « Daesh propose à la rage une mission, à la mort un sens, au bien et au mal une légitimité divine ». Ce n'est pas la révolution en marche pour l'avènement d'un nouveau monde qui les attire, mais le retour à une société hermétiquement close sur elle-même, sous autorité patriarcale, où changement et innovation sont d'emblée suspects. Un monde manichéen, binaire quand il n'est pas linéaire, qui les protège d'eux-mêmes et de leurs interrogations existentielles. Quand la quête spirituelle est un élan vital, un mode d'être et une ouverture au monde, la radicalisation apparaît comme un repli mortifère, un voile masquant le réel. Une perversion de la quête spirituelle.

La force du rituel

Longtemps associé au religieux et au sacré, le rituel s'est peu à peu laïcisé. Mais, quel qu'il soit, sa fonction est de structurer et organiser, fonder et souder le groupe, former la civilité, rassembler la société (ou une partie de cette société) autour de valeurs communes.

Dans de nombreuses sociétés traditionnelles et dans les religions constituées, les rites de passage adolescents sont encore très prégnants, mettant le jeune à l'épreuve, de façon parfois dure, violente, afin de lui permettre de rejoindre la communauté des hommes adultes responsables. Jeûnes, joutes, mortifications... les pratiques culturelles et cultuelles se servent du syndrome d'idéalité des adolescents et aménagent des passerelles avec la réalité.

Rien de tel dans les sociétés industrialisées où, à l'exception de quelques rituels religieux, l'adolescent n'a plus guère à accomplir de rites de passage – peut-on encore imaginer que le bac constitue un rituel suffisamment symbolique pour marquer l'entrée dans l'âge adulte, alors que la longueur des études, la difficulté à trouver un emploi, le prolongement de la cohabitation avec les parents, etc., tendent à prolonger une adolescence dont, jeunisme aidant, on ignore si elle se termine un jour.

Dans le film emblématique de Nicholas Ray, *La Fureur de vivre* (dont le titre original, *Rebel without a Cause*, exprime si bien ce dont il est question), James Dean affronte un autre jeune dans un duel mémorable : chacun au volant d'une voiture doit approcher le plus près du bord de la falaise et sauter au tout dernier moment. La scène date des années 1950, années d'expansion économique et de bouleversement des mœurs propices à l'invention de l'adolescence. Elle évoque un rite de passage qui, faisant défaut au sein de la société, est imaginé et orchestré par les jeunes eux-mêmes. Il s'agit dans le film de montrer qu'on est un homme, qu'on n'a pas peur, qu'on ne recule devant aucun danger… Avec en filigrane l'idée de mettre sa vie en jeu et de s'en remettre au destin pour décider si oui ou non l'adolescent mérite de vivre. Ce que l'on désigne comme conduite ordalique se confond avec une conduite à risque, dans une idée de mise à l'épreuve de soi, sur fond d'excitation et d'appréhension, mais avec le désir d'aller jusqu'au bout pour savoir enfin de quel bois l'on est fait, de quoi l'on est capable.

Les rituels se retrouvent dans les bandes, dans certaines « grandes écoles » (les fameux bizutages), décidés et dirigés par des « leaders » autoproclamés, ou sans autre autorité que celle donnée par la chronologie. À sa manière, Daesh propose aux adolescents un véritable rite d'initiation, consistant à s'affranchir de tous les liens antérieurs, renoncer au mal, combattre et mettre sa vie au service d'un idéal de cruauté. Dans des sociétés occidentales où l'adolescence semble ne jamais plus devoir finir, il se pourrait que la radicalisation soit vécue comme un moyen d'accélérer le temps et d'accéder plus vite à l'âge adulte.

À ceux qui cherchaient Dieu et voulaient croire, Pascal conseillait d'accomplir d'abord les gestes de la foi, laquelle viendrait ensuite.

« Il faut que l'extérieur soit joint à l'intérieur pour obtenir de Dieu ; c'est-à-dire que l'on se mette à genoux, prie des lèvres, etc.[1] »

« Car il ne faut pas se méconnaître : nous sommes automate autant qu'esprit ; et de là vient que l'instrument par lequel la persuasion se fait n'est pas la seule démonstration. Combien y a-t-il peu de choses démontrées. Les preuves ne contraignent que l'esprit. La coutume fait nos preuves les plus fortes et les plus crues ; elles inclinent l'automate, qui entraîne l'esprit sans qu'il y pense. […] L'habitude qui sans violence, sans art, sans argument, nous fait croire des choses, et

---

1. Pascal, *Pensées*, B 250, L 90.

incline toutes nos puissances à cette croyance, en sorte que notre âme y tombe naturellement[1]. »

Pascal nous rappelle que la croyance est avant tout affaire de rituels. Les rabatteurs de Daesh l'ont bien compris et s'appuient sur l'automate qui sommeille en chaque adolescent, enfermant leurs proies dans la répétition inlassable des gestes mimant la foi. Les ordres se succèdent, la plupart sous forme d'interdits : « Ne regarde pas un homme dans les yeux », « Ne serre pas la main d'une femme », « Ne mange pas tel aliment », « Ne te livre pas aux plaisirs de ton âge »…

Ainsi, la mère d'une jeune fille radicalisée, partie hélas rejoindre un « fiancé » virtuel en Syrie, avait imprimé tous les messages reçus par sa fille au cours des derniers mois, une liasse épaisse d'injonctions comportementales entremêlées de mots d'amour et de grossières manœuvres de séduction.

Cette ritualisation de la vie quotidienne produit comme des TOC, des troubles obsessionnels compulsifs… Freud soulignait du reste à quel point la religion est une névrose obsessionnelle collective, le rituel ayant le pouvoir de rassembler et de se relier les uns aux autres. Mais souvent isolés derrière leur ordinateur et dans leur chambre, en proie au rejet et à l'incompréhension de leurs pairs et de leurs proches qui les enferment un peu plus dans leur conviction, les jeunes en voie de radicalisation se laissent aspirer par le rituel en se désaffiliant de plus en plus du collectif. Le processus de déshumanisation contrôlé par Daesh consiste à les conduire à cette névrose obsessionnelle qui abrase le sens.

---

1. *Ibid.*, B 252, L 195.

« Moi, la mort, je l'aime comme vous vous aimez la vie »

C'est par ces mots que Mohammed Merah, l'assassin de sept personnes dont trois enfants juifs, répond aux négociateurs du Raid qui encerclent l'appartement où il a trouvé refuge.

Le meurtre d'autrui au prix du sacrifice de soi peut donner du sens à une vie qui se cherche et ne trouve aucun objet susceptible de satisfaire sa quête d'idéalité. Le suicide par intention hostile, acte de violence désespéré de celui ou celle qui se venge en tuant ceux qui ont provoqué sa déchéance ou son échec et en se tuant lui-même, est rebaptisé « mort en martyr » par la propagande de Daesh : le suicidé se voit propulsé au rang de héros et atteint une célébrité douteuse, comme une forme de reconnaissance après laquelle il a couru toute sa vie. Mise en scène théâtralisée de son acte : on se filme avant et pendant la préparation, on laisse des traces, des preuves, on s'assure dans certains cas de la présence des caméras de télévision… Autant d'expressions d'un narcissisme exacerbé.

« La puissance et la gloire », voilà ce que promet Daesh à des jeunes fragiles, qui refusent les valeurs mercantiles de nos sociétés occidentales et sont avides d'action au service d'une cause qui puisse donner du sens à leur existence. L'effroi provoqué par les attentats les fascine et leur confère un terrible sentiment de puissance, à pouvoir répandre ainsi la terreur.

Abou Maryam, Toulousain converti de 24 ans mort dans une attaque suicide en Irak en mai 2015, déclarait à la journaliste syrienne Loubna Mrie : « Le martyre est probablement le chemin le plus court vers le paradis, et ce n'est pas quelque chose qu'on m'a appris. Je l'ai directement vu sur mes camarades martyrs. Sur leurs visages, j'ai vu la félicité, et j'ai senti l'odeur de musc qu'exhalent leurs dépouilles […]. La seule chose qui nous manque pour atteindre le paradis, c'est la mort[1]. »

Dans son dernier livre, *Le Djihad et la mort*[2], Olivier Roy montre que la mort est au cœur même de la radicalité, fait partie intégrante du projet d'engagement djihadiste. Mort revendiquée, espérée, promesse de gloire, de rédemption qui vient mettre fin à une souffrance existentielle.

Le témoignage de Sarah Hervouët, 23 ans, est de ce point de vue édifiant[3]. Elle fait partie des trois femmes arrêtées dans le cadre de l'enquête sur l'attentat manqué de Notre-Dame de Paris. Elle n'est pour rien dans cet acte-là, n'a rejoint les deux autres que plus tard et, sur leur ordre, a poignardé un policier dans une voiture banalisée, sans même savoir qui il était.

La mère raconte que sa fille a commencé « à faire des bêtises » à l'âge de 14 ans, notamment des scarifications où la mère voit « le désir de se punir : le rejet de son père naturel l'a blessée ». Marocain retourné au pays, le père naturel ne voit en effet pas sa fille, qui a été adoptée par un Français finalement installé au Gabon, avec qui elle a très peu de liens. À 21 ans, par

1. *Slate*, 5 octobre 2014.
2. Le Seuil, 2016.
3. *Le Monde*, 11 octobre 2016.

l'intermédiaire d'une amie, Sarah découvre l'islam et plus encore le sort des enfants syriens musulmans, ce qui lui fait « perdre la tête ».

Pour sauver ces enfants et aider ses frères massacrés par les puissances occidentales, Sarah décide de rejoindre la Syrie, mais elle est repérée à la frontière turco-syrienne et renvoyée en France où elle fait l'objet d'une interdiction de sortie du territoire, ce qui nourrit sa colère envers le gouvernement.

À propos de son parcours, elle dit simplement : « En fait, ce que je voulais, c'était le martyre. Je voulais que l'on me tire dessus. » Pour mourir, elle était prête à tout et s'en était ouverte à Rachid Kassim, commanditaire probable de plusieurs attentats, dont l'assassinat du père Hamel à Saint-Étienne-du-Rouvray en juillet 2016. Lequel Rachid Kassim lui avait suggéré de se procurer pétards et arme en plastique pour pénétrer dans un lieu public et y semer la panique. À coup sûr, les policiers excédés par la tension accumulée des derniers mois lui auraient tiré dessus.

À la lecture de cette histoire, on reste confondu : il n'est question ni de foi, ni même de vengeance ou de revanche, les conseils de Kassim s'apparentent davantage à un chapitre de *Suicide, mode d'emploi* qu'à un projet réfléchi débouchant sur une action porteuse de sens. On imagine sans peine que Sarah n'est pas seule dans son cas : nombre de jeunes radicalisés entrevoient sans doute dans leur affiliation la possibilité de sublimer leurs pulsions suicidaires en les transformant en actes d'héroïsme destinés à purifier le monde. Sarah dit encore : « Je ne supportais plus cette vie. En réfléchissant, j'ai une belle vie, mais c'est un mal-être intérieur. C'est compliqué. »

Pour en finir avec la complexité de toute existence humaine, Daesh propose la simplicité de la mort prétendument salvatrice. La puissance des convictions religieuses du fanatique est ainsi proportionnelle au sentiment de sécurité qu'elles lui apportent et qui répond à son impuissance.

L'idée fixe du paranoïaque est individuelle et naît à l'intérieur du psychisme du sujet selon un mécanisme interprétatif, tandis que celle du fanatique est collective et vient de l'extérieur, adoptée à l'emporte-pièce. La radicalisation pourrait donc être considérée comme une forme de paranoïa collective, se propageant d'individu en individu.

La pensée fanatique étaye le psychisme de l'individu : elle transfigure cette dimension dépressive majeure en idéal héroïque. Se rebellant contre son insatisfaction, il cherche à la remplacer par une perfection.

Comme chez les psychotiques, on peut observer chez les fanatiques des mécanismes de clivage : « Une partie de leur esprit est innocente et clémente, mais dans l'autre partie, parfaitement séparée de la première, ils sont sadiques et implacables. Il ne s'agit là que d'une variante de cette phrase utilisée par de nombreux fanatiques religieux : "Au nom de Dieu miséricordieux, je te tue."[1] »

De plus, l'angoisse de morcellement serait compensée par la continuité et la permanence (« le bruit »)

---

1. Gérard Haddad, *Dans la main droite de Dieu. Psychanalyse du fanatisme*, éd. Premier Parallèle, 2015.

affichées par l'idéologie fanatique. L'existence des rites, règles et interdits religieux, exigeant dévotion et obéissance, est un levier pratique et efficace qu'emploient les systèmes fanatiques pour canaliser et favoriser la propagation de l'idéologie.

Délimiter une frontière précise entre délire mystique et idéologie fanatique est donc un exercice délicat, qui questionne la nosographie psychiatrique. À partir de quand une idée délirante, partagée collectivement, se dégage-t-elle de troubles psychopathologiques individuels décrits classiquement en psychiatrie ? Ce questionnement est commun aux paradigmes scientifiques que soulèvent les nouvelles théories conspirationnistes et le phénomène sectaire.

4

Radicalisation et sexualité

« Avant, quand je portais des minijupes, les garçons me traitaient et ne me respectaient pas. Depuis que je suis voilée, à l'arrêt du bus, ils me demandent en mariage », raconte cette adolescente, posant d'emblée la question des rapports entre les sexes à l'adolescence et du malaise éprouvé à l'idée de la confrontation avec l'autre.

Faut-il rappeler que l'adolescence est l'âge des transformations pubertaires, physiques et psychiques, des pulsions et des peurs autour du passage à une sexualité agie et non plus seulement fantasmée ? Au centre de ces préoccupations : le corps, théâtre de métamorphoses que l'adolescent ne maîtrise pas, qui a du mal à être représenté. Le corps, frontière entre le dedans et le dehors, l'intimité et l'espace public, le visible et l'invisible, qui trahit parfois ce que l'on voudrait cacher. Le corps, cette maison dont parlait Françoise Dolto, que l'on peine à habiter faute de le reconnaître sien et de s'y sentir bien, et qui peut faire l'objet de diverses maltraitances : affamé dans l'anorexie, gavé dans la boulimie, déchiré par les scarifications, marqué et troué par les tatouages et les piercings… Des conduites comme autant de tentatives d'appropriation de ce corps, de soi, actant au passage la nécessaire séparation avec les parents et l'affirmation d'une identité propre.

Cette question du sexuel et de la difficulté à le vivre est évidemment à l'œuvre dans le processus de radicalisation, mais se pose et s'exprime en termes différents pour les filles et pour les garçons.

Notons cependant en préambule que, pour de nombreux troubles psychopathologiques à l'adolescence, chez les filles et chez les garçons, l'on retrouve des abus sexuels dans l'enfance, lesquels constituent un facteur important de fragilisation psychique.

Comme le soulignait précédemment Dounia Bouzar, chez les jeunes filles radicalisées, la problématique du corps sexué et de ce qu'il suppose trouve dans le port du voile une résolution ou, à tout le moins, un apaisement.

Littéralement, hidjab signifie aussi « rideau » ou « écran ». Il permet de mettre un écran de protection entre le monde et soi, entre sa famille et soi et, dans bien des cas, entre sa mère et soi. Il dessine une frontière qui délimite son territoire, un espace propre, inviolable parce que dissimulé.

Dans l'observation clinique que je peux en faire, le port du voile présente des analogies avec le comportement anorexique : l'un et l'autre, à leur manière, tendent à effacer les formes du corps, à le dissoudre en tant que corps sexualisé, tout en mettant de la distance entre soi et les autres.

En même temps qu'il estompe les contours, les formes et plus encore les transformations sur lesquelles l'adolescente n'a pas prise, il fait office de contenant pour des pulsions sexuelles trop explosives et met à l'abri de la réalisation de fantasmes archaïques qui s'enracinent dans la petite enfance.

La protection apparaît pourtant paradoxale puisque le voile attire tous les regards : de mépris, voire de haine de la part des uns, de respect, voire d'envie chez d'autres. Mais il est rare qu'il passe inaperçu. Peu importe d'ailleurs la nature du regard, l'essentiel étant d'être regardée, comme une forme de reconnaissance. Le regard admiratif leur dit que le voile fait d'elles des femmes respectables, dignes, leur procurant un sentiment d'exaltation quasi érotique. Le regard de mépris les grandit d'une autre façon, les renforçant dans une position de martyres, persécutées pour défendre la Vérité, la cause, l'idéal de pureté auquel elles aspirent.

Mépris ou admiration leur procurent le même sentiment d'exister. Le regard devient d'autant plus central que d'elles-mêmes, elles ne montrent que leurs yeux – les yeux, miroirs de l'âme, essence de l'être –, les débarrassant ainsi du malaise que procure le corps sexué.

On sait à quel point le voile et après lui le burkini sont sujets de débats et de conflits au sein de notre société. La culture occidentale française y voit oppression, domination, incapacité à investir et assumer leur corps érotique et érogène dans une relation égalitaire, le signe ostentatoire d'une soumission à l'inégalité fondamentale hommes/femmes qui fait des secondes la possession des premiers.

Il ne s'agit pas ici de défendre le port du voile, mais de comprendre que bien souvent il n'est pas imposé et représente au contraire un choix, c'est une revendication identitaire à travers un accessoire que les jeunes filles fétichisent.

Le port du voile n'est ainsi pas à lui seul, tant s'en faut, un signe de radicalisation, et nombre de mes étudiantes en psychologie, elles-mêmes voilées, mais pas du tout choquées par les cours sur la sexualité, auraient pu m'en convaincre. De nombreuses jeunes filles amenées à notre consultation par des parents affolés tiennent pour la plupart un discours moderne sur la liberté de croire ou de ne pas croire. Elles défendent âprement leur « engagement spirituel » et dénient à leur entourage le droit de décider à leur place. Elles n'adhèrent pas à une organisation islamiste, sont très peu politisées, étudient parfois l'arabe classique et ne parlent que de spiritualité, de changer leur vie, d'être « totalement elles-mêmes ».

Mais il n'est pas toujours facile de distinguer cet engagement spirituel d'un engagement plus radical.

Pendant des semaines, de plus en plus souvent réfugiée dans sa chambre qu'elle fermait à clé, Pauline revêtait le voile et se regardait pendant des heures dans le miroir. C'est vêtue de ce voile et sous le nom d'Oum Munqidha – « celle qui sauve le monde » – qu'elle apparaissait sur son second profil Facebook, afin d'être en contact avec ses « sœurs » et son amoureux virtuel, chaque jour plus exigeant. Le voile lui était devenu à ce point indispensable qu'elle le cachait dans son sac et l'enfilait dès qu'elle était hors de vue de son immeuble, pour le retirer avant d'arriver au collège. Sur le chemin, elle se sentait « voler », hors d'atteinte, pleine de grâce. Sainte.

L'idéal de pureté est omniprésent dans le discours des rabatteurs, et le voile en est le symbole. Il protège la virginité de celles qui n'appartiendront qu'à un homme, valeureux guerrier.

Les converties l'adoptent encore plus vite que les autres et répugnent à y renoncer. Dans le suivi, l'on constate que le voile revêt à leurs yeux plus d'importance que le groupe. Surtout lorsque leurs premières expériences sexuelles ont été traumatiques. Elles s'y accrochent comme si leur survie en dépendait. Certaines, à l'instar de Pauline, l'enlèvent puis le remettent, comme incapables de résister à la tentation de se protéger derrière ce voile qui les rassure et leur donne un sentiment de force. À la fois rempart et barricade, le voile défend la forteresse adolescente menacée par ses métamorphoses.

Pour Gaëlle, il a eu un effet d'apaisement et de délivrance. Née d'une relation très passagère, elle a été élevée par sa mère. Son père avait déjà plusieurs enfants, de mères différentes et, s'il a consenti à reconnaître Gaëlle, il n'a entretenu avec elle que des relations très ténues. Mère et fille ont vécu dans une relation très fusionnelle, avec confusion des rôles et des générations. La mère, femme très libre, a des problèmes avec l'alcool et une tendance très marquée à la bipolarité, ce qui oblige sa fille à prendre soin d'elle. À 13 ans, Gaëlle fait une entrée fracassante dans l'adolescence. Minijupes, maquillage outrancier, alcool et haschich, sexualité débridée… rien ne l'arrête, même si rien de tout cela ne la satisfait. Jusqu'au jour où, via

Internet, elle rencontre un beau prince arabe qui lui fait les yeux doux. Il n'a rien à voir avec les garçons croisés dans les boîtes, ces relations d'un soir sans intérêt, qui « ne pensent qu'à ça », il est un peu plus âgé, posé, rassurant, protecteur, romantique, épris d'idéal, et lui répète combien elle est exceptionnelle. Tellement exceptionnelle qu'elle doit se comporter comme telle et n'être qu'à lui. Les mails succèdent aux SMS à une cadence plus que soutenue, délivrant des règles de conduite incontournables : ne pas regarder un homme dans les yeux, ne pas lui serrer la main… Gaëlle n'a plus qu'une idée en tête : avoir 18 ans, pour partir rejoindre son fiancé virtuel qui lui offrira le meilleur en l'emmenant dans l'État élu où ils pourront enfin se marier. En attendant, elle a définitivement renoncé aux minijupes et à toute la panoplie de sa vie d'avant pour se voiler. Le voile vient contenir le corps, le psychisme et les fantasmes qui l'assaillent, calmant les débordements pulsionnels à la manière d'un tissu qu'on étend sur le feu pour l'étouffer et l'éteindre. De sexualité, il n'est plus question : le beau prince charmant ne s'incarne que sur écran, parle d'amour et d'enfants le moment venu. Gaëlle retrouve la pureté dont elle n'aurait jamais dû s'écarter : le voile est un moyen de se refaire une virginité, de racheter ses fautes, de rentrer dans le droit chemin… et d'échapper aux tourments des désirs contradictoires propres à son âge.

Redisons-le au risque d'insister, car il s'agit là d'un point important et trop souvent inaudible pour nous : loin d'être vécu comme signe extérieur d'une soumission passive à l'homme, le voile fait des adolescentes des femmes devant lesquelles les hommes se prosternent, des femmes puissantes, phalliques, avec ce corps voilé érigé en objet de toute-puissance – un peu à la manière des anorexiques dont le corps qui s'efface occupe tout l'espace psychique. Le voile prend la dimension d'objet fétiche, fétiche qui, en tant que substitut du phallus, confère la toute-puissance. À moins que, loin de la psychanalyse, le fétiche puisse être envisagé par certaines comme un porte-bonheur doté de pouvoirs magiques, qui protège et conjure le mauvais sort.

Pour Fethi Benslama, « les femmes sont coupables imaginairement d'une nudité destructrice de leur communauté », elles ont fini par intérioriser le discours sur l'infériorité des femmes.

Tout cela est juste mais le plus souvent inconscient. De manière plus revendiquée, le voile est une façon de s'approprier son corps – travail de toute adolescente. Il est l'affirmation d'une toute-puissance virginale, un accessoire identitaire et paradoxalement, de séduction. Il est provocation délibérée à l'égard des mères, des femmes des générations précédentes qui se sont battues pour l'égalité et qu'elles narguent, dans un rejet revendiqué à travers une différenciation radicale qui les galvanise. Loin d'être honteuse, la jeune fille voilée se sent fière et décidée, sûre de son choix. En groupe, elles jouissent du pouvoir que ce rideau leur confère, faisant d'elles des rebelles, au nom de la cause, qui n'ont pas à raser les murs. Il se pourrait bien que ce voile, telle la cape magique de Harry Potter, leur donne un sentiment d'invincibilité.

Les garçons sont, de leur côté, soumis à une pression sexuelle extrêmement forte. La pornographie omniprésente à laquelle peu d'entre eux échappent impose une exigence de performance, de puissance, attributs d'une virilité caricaturale avec laquelle ils doivent tenter de composer. Le plus souvent, la puissance s'accompagne d'une forte domination, pour ne pas dire de violence, envers la femme réduite au rang d'objet ou d'esclave. Peu ou pas de place pour les sentiments, le désir, le garçon se doit d'être guerrier dans sa sexualité, conquérant, et triomphant.

Au voile des jeunes filles répond le kamis des garçons, cette longue chemise souvent réservée à la mosquée, tenue traditionnelle qui, pour les adolescents, affiche leur affiliation et la clame aux yeux du monde, mais est aussi un moyen de reconnaissance entre membres d'un même groupe, d'une même communauté de conviction, un signe distinctif dont ils s'enorgueillissent. Il semble pourtant que le kamis, même s'il protège, dissimule et contient un corps objet de transformations, soit beaucoup moins fétichisé que le voile. Ce n'est pas le cas de la barbe, marque de virilité revendiquée, qui donne de l'assurance et de l'autorité. Si, comme le montre Dounia Bouzar, l'image du preux chevalier est opérante pour certains, il semblerait que la fantasmatique plus sexuelle du guerrier tout-puissant capable de posséder toutes les femmes (mythe de Zeus) soit de plus en plus agissante.

Comme chez les filles, on retrouve chez les jeunes radicalisés des abus sexuels dans l'enfance. Jean nous en a donné un exemple. Abusé devenu abuseur, retournant contre l'autre la violence subie, il illustre ce tiraillement entre fantasmatique sexuelle confondue avec une fantasmatique guerrière et quête de purification qui effacera ses fautes. Il s'agit là d'un cocktail détonant, sans doute assez répandu chez les jeunes hommes djihadistes.

Une autre dimension à ne pas négliger est celle de l'homosexualité latente, ou refoulée, ou mal assumée, ou encore de l'homophobie intériorisée. L'auteur du massacre d'Orlando comme celui de l'attentat de Nice en sont l'illustration et il semblerait que Salah Abdeslam, l'un des auteurs des attentats de Paris en novembre 2015, ait fréquenté des bars gays.

Le premier fait exploser la boîte de nuit dans laquelle il aurait passé des soirées entières et eu des relations sexuelles avec quelques habitués du lieu. Son père, qui postait des vidéos homophobes sur Internet, raconte que, dans la rue, son fils détournait les yeux s'il voyait un couple gay, parce que cette vision le révulsait. Le second est décrit par tous ceux qui l'ont fréquenté comme un homme violent, volontiers harceleur avec les femmes, qui avait un « ami » protecteur avec lequel il n'a pas eu de relation.

Bien sûr, on se gardera de conclure que tous les djihadistes sont des homosexuels honteux, mais il n'est pas interdit de supposer que l'affiliation à Daesh, dont la politique envers les homosexuels passe par la décapitation, la lapidation ou la défenestration, permet à certains de se mettre à l'abri de leurs pulsions ou fantasmes homosexuels, avec la perspective de pouvoir, comme ce fut le cas à Orlando, débarrasser le monde de cette « vermine » tout en se purifiant soi-même de ses tendances « contre nature », pour gagner le paradis promis – qui sans cela lui échappait.

Freud le premier a établi un lien entre homosexualité inconsciente et paranoïa[1], dimension très présente chez les djihadistes les plus dangereux parce que les plus imprévisibles, comme les loups solitaires dont nous avons parlé. L'affiliation à Daesh leur permet de trouver un maître pour guider leur conduite et résoudre leurs « errances » en matière de sexualité, la bisexualité et l'homosexualité étant vécues comme des déviances, des perversions, des fautes à laver dans le sang – le sien et celui des pervertis ou des mécréants.

Certains s'étonneront sans doute de découvrir à quel point, malgré les évolutions de la société, les adolescents peuvent être sensibles à des représentations d'un âge que l'on croyait définitivement révolu. Après tant d'années de combats féministes, mais pas seulement, des jeunes filles rêvent encore de se fiancer et de se marier, de se dévouer à leur homme, dans une relation où elles sont souvent réduites à leur rôle de mère, la sexualité n'étant envisagée que sous l'angle de la procréation. Des jeunes garçons préfèrent la guerre à l'amour et résument la sexualité à la possession et à la domination de la femme. Alors que, dans nos sociétés occidentales, les adolescents doivent faire face à des problématiques de mixité, de mélange, de fluidité des rôles et des fonctions, des interrogations sur le masculin et le féminin, les rapports entre les sexes…,

---

1. Sigmund Freud, *Œuvres complètes*, tome X, *Le Cas Schreber* (ÉO 1911), PUF, 1988.

l'idéologie radicale les propulse dans un univers régulé, archétypal, où chacun est à sa place et n'en change pas : les hommes sont des guerriers venant chercher le repos auprès de femmes dociles qui leur font des enfants... Les questionnements internes qui taraudent la période pubertaire peuvent trouver là une résolution, un soulagement.

Il faut savoir que ce qui se joue sur la scène du fantasme en matière de sexualité n'est pas toujours en relation avec ce qui se joue dans la réalité des relations sociales. En effet, la fantasmatique sexuelle agite en nous des figures assez archaïques et souvent terrifiantes mettant en scène l'intrusion, la pénétration, l'activité et la passivité, la puissance et l'impuissance, la domination et la soumission. Tout le sexuel infantile, pétri à la fois d'angoisse, de liberté, de bisexualité psychique, de mélange actif/passif, de culpabilité, imprègne l'inconscient et entre en ébullition à l'adolescence. Le fantasme ne suffit plus et le passage à l'acte suppose d'accepter son corps sexué et ce qu'il autorise. Accepter la pénétration, faire la différence entre passivité et réceptivité, accueil dans la réceptivité, ce n'est pas simple. S'approprier un corps pénétrant et renoncer à une certaine passivité ne l'est pas davantage. Pour les filles comme pour les garçons, ces changements ne se font qu'au prix d'un effort fantasmatique qui déstabilise. Le monde moyenâgeux vanté par Daesh leur offre une voie toute tracée que chacun peut suivre sans plus se poser de questions quant à ses aspirations profondes. Encore une fois, c'est la simplicité d'une réponse univoque qui semble attirer, rassurer, protéger des adolescents pris dans une tourmente où ils ne trouvent plus de repères. Notons toutefois que Daesh n'hésite pas à faire quelques entorses à ses principes. En dehors de l'État islamique, la femme n'est plus réduite à sa fonction reproductrice, mais vivement encouragée, comme les hommes, à passer à l'action violente et à mourir en martyre.

CONCLUSION

À la lumière des différentes problématiques adolescentes, peut-être comprend-on mieux pourquoi cette période de la vie constitue un terrain idéal pour la propagande de Daesh. La fragilité, le désarroi, l'incertitude, la difficulté de se séparer et de s'affirmer, la quête de soi et de sens se heurtent au désenchantement d'un monde où, le tissu social s'effilochant, chacun est sommé de se construire par lui-même. L'idéologie de la radicalisation peut alors séduire les plus vulnérables.

Parce qu'il est récent et porteur d'une violence et d'une cruauté qui peuvent frapper n'importe où, n'importe quand et n'importe qui, le phénomène inquiète – à juste titre – et nous interroge sur une époque dont Daesh pourrait révéler la face obscure.

Tous les adolescents sont-ils potentiellement à risque d'affiliation ? Oui, dans la mesure où l'adolescence est, par essence, une période à risques. Mais nous savons bien que tous ne sont pas égaux dans la fragilité et le désarroi, et les chiffres disent bien qu'aujourd'hui la radicalisation touche beaucoup moins que la déscolarisation, la dépression, les conduites autodestructrices.

Existe-t-il des signes avant-coureurs de la radicalisation ? Oui, comme dans toutes les psychopathologies adolescentes. Changement de comportement, repli sur soi, isolement, ruptures successives, absentéisme scolaire, irritabilité, etc., doivent évidemment alerter l'entourage et en premier lieu les parents, comme expression d'un malaise qui peine à se dire. Mais ces signes, même associés à des préoccupations religieuses, sont bien peu spécifiques.

Aujourd'hui, divers intervenants se mobilisent de plus en plus autour des adolescents radicalisés, offrant aux parents une large possibilité de soutien et de conseils. Aucun d'entre nous ne peut se présenter comme expert, tout-puissant, exclusif et excluant, susceptible de détenir *la* solution pour remettre l'adolescent dans le mouvement de la vie, l'aider à retrouver le plaisir de penser et d'exister par lui-même, individu singulier.

Mais notre expérience montre que, grâce à une prise en charge pluridisciplinaire, au travail conjoint de différentes équipes de différents horizons, les adolescents peuvent s'en sortir. Le changement ne se fait pas en un jour, il réclame un accompagnement au long cours, une présence attentive mais non intrusive, et une capacité à inventer des réponses au cas par cas. Car, si les personnalités de chacun semblent s'être dissoutes dans la communauté radicalisée, c'est toujours sur leur singularité antérieure que nous allons nous appuyer, la déradicalisation ou le désembrigadement ne pouvant être qu'individualisé[1], et mené avec l'appui des parents et de toute la famille.

---

1. Concept ressortant de la méthode expérimentée par le CPDSI ; voir Dounia Bouzar et Marie Martin, « Méthode expérimentale de déradicali-

Le parcours de Pauline est passé notamment par une thérapie familiale visant à l'aider à retrouver sa juste place afin de redémarrer le processus de séparation de façon plus harmonieuse. Entre ses parents et elle, il s'agissait de se décrocher, se désintriquer, de manière presque physique, organique. Cela ne s'est pas fait de manière linéaire, sans heurts ni retours en arrière. Aux mieux ont succédé des rechutes et le suivi a été émaillé de dépressions graves avec hospitalisation, de conflits violents avec les parents. Le « dévoilement » a sans doute été le plus difficile pour cette jeune fille qui, par moments, se voilait à nouveau, à la manière d'une alcoolique soudain prise d'un irrépressible besoin de boire et qui se jette sur la première bouteille.

Peu à peu pourtant, Pauline reviendra à un mode d'être plus apaisé. Elle continue à vouloir aider les autres mais ne prétend plus sauver le monde sous les habits d'une nouvelle mère Teresa. Et si elle songe à se convertir à l'islam, elle s'est dégagée de l'emprise sectaire dont elle était devenue le jouet. Pauline est redevenue une jeune fille libre. C'est une liberté fragile, mais réfléchie, faite de désirs et de doutes, de rêves qui emportent et de réveils parfois douloureux, une liberté à préserver, à renforcer et à soutenir, mais porteuse de promesses d'avenir.

Jean a passé de longues semaines au sein de notre service. Après avoir fait naître beaucoup d'inquié-

---

sation : quelles stratégies émotionnelles et cognitives ? », in *Pouvoir*, Le Seuil, 2016.

tude au sein de l'équipe, il a noué de très bonnes relations avec les soignants et les autres adolescents hospitalisés et nous l'avons vu partir avec une certaine tristesse.

Dans le cadre de la thérapie familiale, Jean s'est révélé très collé à sa mère et à sa sœur, et dans un rejet massif du père qu'il prenait comme cause de tous ses tracas. Longtemps les parents se sont accusés mutuellement de porter l'entière responsabilité de la radicalisation de leur fils, avant de faire face ensemble dans une coparentalité soutenante et bienveillante.

Les derniers temps de son hospitalisation, il arrivait à Jean d'exprimer son désarroi quant au fait qu'il ne pratiquait plus sa religion – plus de prières, plus de ramadan… – comme s'il avait perdu un cadre rassurant et contenant. Cependant, après son départ, nous avons découvert un portable bien caché, laissant supposer qu'il est resté en contact avec les recruteurs…

À sa sortie, grâce à un organisme éducatif proposant des activités humanitaires, il est parti pour neuf mois à l'étranger. Les premiers temps ont été placés sous le signe de la tristesse due à l'éloignement, au dépaysement, mais les contacts téléphoniques étaient bons, Jean se montrant heureux que nous nous préoccupions encore de lui et ne perdant jamais une occasion de prendre des nouvelles du service. Il paraît apaisé, raconte les moments agréables qu'il peut vivre en se consacrant aux autres, mais se pose déjà des questions quant à son retour…

Rien n'est gagné bien sûr, et Jean doit encore faire face à de grandes failles narcissiques, mais le chemin parcouru est encourageant et a fait disparaître le Jean déshumanisé, froid et menaçant qui prônait le djihad et la violence.

Il y a quelques jours, nous avons reçu ce mail de la part de son père :

« Bonjour,

Je voulais vous dire combien, une fois encore, j'ai été surpris de la transformation de Jean.

Il est calme, généreux, réaffilié : "Parfois, quand je me dis que c'est dur, je me dis aussi que je fais ça pour vous et ça m'aide."

Il n'a de cesse d'avoir des mots gentils à mon égard, listant tous les objets que je lui ai offerts et m'expliquant comment il les avait intégrés dans son quotidien de vie… contre lui, mais cette fois tout contre.

[…]

Quand je lui dis que je sens que ce séjour est bon pour lui car je le sens apaisé, il me dit qu'il est d'accord.

Il a fini en me disant que la photo de famille que je lui ai envoyée et que nous avions faite pour lui l'avait "touché", c'est son mot.

Il était un peu peiné, comme moi, que la lettre qu'il m'a longuement écrite il y a un mois ne m'ait pas été transmise. Nous avons convenu, chacun de notre côté, d'essayer de la retrouver.

Bref, c'est encore un niveau supérieur dans le processus de sortie de l'emprise.

Merci à vous. »

REMERCIEMENTS

Je remercie tous les parents qui nous ont fait confiance et qui nous ont remis les enregistrements de leurs enfants avec le groupe radical. C'est grâce à eux que nous avons pu construire toutes ces réflexions.

Dounia Bouzar

Je voudrais remercier chaleureusement Pascale Leroy qui a accompagné la gestation de cet ouvrage, exprimer toute ma gratitude à mes collègues Caroline Thompson et Nicolas Campello qui reçoivent avec moi les familles bouleversées par la radicalisation, et au Pr David Cohen qui a accepté avec enthousiasme d'accueillir cette consultation au sein de son service de Psychiatrie de l'Enfant et de l'Adolescent à l'hôpital de la Pitié-Salpêtrière.

Serge Hefez

Table

Des mêmes auteurs :

DOUNIA BOUZAR

Et ici et là-bas, préf. Maryse Vaillant (dir.), Centre natio-
   nal de formation et d'études de la protection judiciaire
   de la jeunesse, 1994
*L'islam des banlieues : Les prédicateurs musulmans,
   nouveaux travailleurs sociaux ?*, coll. « Alternatives
   sociales », Syros, 2001
À la fois française et musulmane, ill. Sylvia Bataille,
   coll. « Oxygène », La Martinière jeunesse, 2002
Être musulman aujourd'hui, ill. Frédéric Rébéna, coll.
   « Hydrogène », La Martinière jeunesse, 2003
L'une voilée, l'autre pas, avec Saïda Kada, Albin Michel,
   2003
Le voile, que cache-t-il ?, avec Alain Houziaux (dir.),
   Jean Baubérot et Jacqueline Costa-Lascoux, coll. « Ques-
   tions de vie », Éditions de l'Atelier, 2004
Ça suffit !, Denoël, coll. « Indigne », 2005
Quelle éducation face au radicalisme religieux ?, préf.
   Michel Duvette, Dunod, coll. « Enfances/Protection de
   l'enfance », 2006

L'importance de l'expérience citoyenne dans le parcours des musulmans nés en France sensibles au discours de l'islam politique, avec Pierre Bonte et Olivier Roy (dir.), thèse de doctorat université Paris-VIII, 2006

L'intégrisme, l'islam et nous, Plon, 2007

Allah, mon boss et moi, Dynamique diversité, 2008

Allah a-t-il sa place dans l'entreprise ?, avec Lylia Bouzar, Albin Michel, 2009

La République ou la burqa : Les services publics face à l'islam manipulé, avec Lylia Bouzar, Albin Michel, 2009

Laïcité, mode d'emploi : Cadre légal et solutions pratiques, 42 études de cas, Eyrolles, 2010

Combattre le harcèlement au travail et décrypter les mécanismes de discrimination, à partir de l'expérience pionnière de Disneyland Paris, avec Lylia Bouzar, Albin Michel, 2013

Désamorcer l'islam radical. Ces dérives sectaires qui défigurent l'islam, Éditions de l'Atelier, 2014

Ils cherchent le paradis, ils ont trouvé l'enfer, Éditions de l'Atelier, 2014

Comment sortir de l'emprise « djihadiste » ?, Éditions de l'Atelier, 2015

La vie après Daesh, Éditions de l'Atelier, 2015

Ma meilleure amie s'est fait embrigader, La Martinière, 2016

Mon djihad, itinéraire d'un repenti, avec Farid Benyettou, Éditions Autrement, 2017

SERGE HEFEZ

Sida et vie psychique : approche clinique et prise en charge, La Découverte, 1996

La danse du couple, Hachette Littératures, 2002
Quand la famille s'emmêle, Hachette Littératures, 2004
Un écran de fumée : Le cannabis dans la famille, Hachette Littératures, 2005
Les nouveaux ados : comment vivre avec ?, Bayard, 2006
Dans le cœur des hommes, Hachette Littératures, 2007
La Sarkose obsessionnelle, Hachette Littératures, 2008
Antimanuel de psychologie, Bréal, 2009
Pourquoi je suis devenu psy, Bayard, 2010
Scènes de la vie conjugale, Fayard, 2010
Les nouveaux parents, Bayard, 2011
C'est quoi être amoureux ?, Bayard, 2012
Le nouvel ordre sexuel, Kero, 2012
La fabrique de la famille, Kero, 2016

PAPIER À BASE DE
FIBRES CERTIFIÉES

Le Livre de Poche s'engage pour
l'environnement en réduisant
l'empreinte carbone de ses livres.
Celle de cet exemplaire est de :
250 g éq. CO$_2$
Rendez-vous sur
www.livredepoche-durable.fr

Composition réalisée par Nord Compo

Imprimé en France par CPI
en décembre 2017
N° d'impression : 3026362
Dépôt légal 1re publication : janvier 2018
LIBRAIRIE GÉNÉRALE FRANÇAISE
21, rue du Montparnasse - 75298 Paris Cedex 06

80/7792/9